櫻井弘話し方研究所代表
櫻井 弘

永岡書店

はじめに

言い方を変えるだけで
相手の印象が変わり
人間関係がうまくいく

人と話している最中に、「あれ、今何か嫌な顔された？」「もしかして嫌われてる？」と感じたことはありませんか？
そんなあなたは、自分がどんな言葉でどのように相手に伝えているかを、今一度ふり返ってみる必要があるでしょう。

人に話すとき、論理的に伝えよう、きちんと説明しようと意識している方は多いと思います。
理路整然とした話し方ももちろん重要ですが、それと同じくらい大切なのは、「相手の感情に気を配る」ことです。
忙しくて自分の心に余裕がなかったりすると、つい相手への気遣いを忘れてしまいがちに……。ですが、どんな理由があったとしても、人を不快にさせるモノの言い方・伝え方をしていることに気づかなければ、あなたの好感度は下がる一方です。

本書では、相手へのさりげない「気配り」が伝わる言葉や、相手に「恥をかかせない」ような表現など、人間関係がスムーズになる言いかえを紹介しています。

最近では、「あの企画書、見てもらえました？」と唐突に話しかける人や、「これ、今日中にやってもらえます？」と相手の状況を考えずにモノを言う人を多く見かけます。そんな人にこそ、相手を気遣った言いかえが必要なのです。

本書を活用して「言葉の引き出し」を増やし、いつもの言い方を「気遣いのあるひと言」に言いかえてみませんか？

言い方ひとつで相手の印象が変わるということを、きっと身をもって感じることができるでしょう。

気の利いた言い回しができるようになって、あなたの人間関係がどんどんよくなっていきますように。

櫻井 弘

印象がよくなって好感度が上がる！

本書の特長と使い方

本書は、ビジネスやプライベートで、相手に好印象を与えるモノの言い方・伝え方を、シチュエーションごとに紹介しています。いつもの言い方を「気遣いのあるひと言」に言いかえてみましょう。

今日から使える「気遣いのあるひと言」をマスターしよう！

1 モノの言い方・伝え方が必要な場合を、各章ごとに4つ〜5つに分類して紹介しています。気になる場面から読み進めてみてください。

2 どのようなシチュエーションで、モノの言い方・伝え方を意識したらいいのか、言いかえる必要があるのかが、具体的にイメージできるようになっています。

3 「相手の感情に気を配る」ことを意識したフレーズを紹介しています。これぞまさに、「気遣いのあるひと言」に変わる言いかえです。

4 よく耳にするモノの言い方、日常的に使われがちな伝え方を取り上げています。あなたもつい使ってしまっているフレーズがあるかもしれません。

5 どんなところを工夫した言い方なのか、どんな気持ちを込めて伝えればいいのかなど、相手に好印象を与えるポイントを、例文を交えて具体的に解説しています。

6 普段あまり使わない漢字や意味を知らないまま使っている漢字、耳慣れない単語などの意味を掲載しています。

相手への“配慮”が伝わる言いかえが満載！

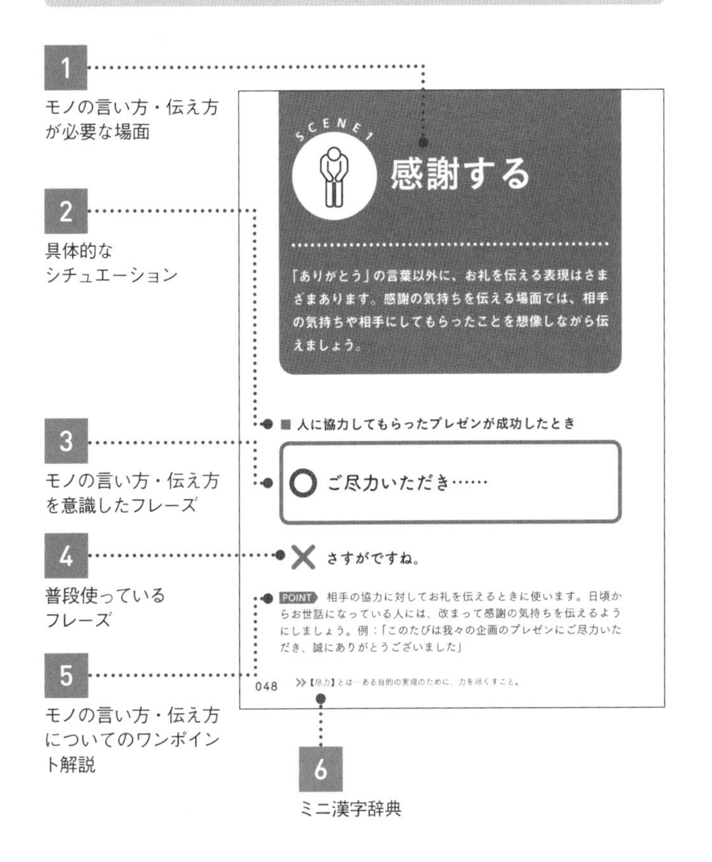

CONTENTS

～これさえできれば人間関係が良好に～

「言い方」ひとつで印象UP！ すぐに使える言いかえのコツ

第1章

〜上手な言いかえで相手に好かれる〜

自分の考えや思いが〈うまく伝わる〉言いかえ

～嫌われない返事・好かれる応対の仕方がわかる～

相手の言動や気持ちに〈うまく応じる〉言いかえ

～言い方ひとつで相手に気持ちよく動いてもらえる～

ビジネスシーンで役立つ〈人を動かす〉言いかえ

～これさえできれば人間関係が良好に～

「言い方」ひとつで印象UP! すぐに使える言いかえのコツ

いつもの言い方を変えるだけでたちまち好感度が上がる

人に何かを伝えようとするとき、言い方ひとつで相手に与える印象ががらりと変わります。好感度を上げるために、まずは、モノの言い方・伝え方のキホンを押さえましょう。

“好感度を上げる”極意は「気配り」と「恥をかかせない」こと

「人間関係がうまくいかない」という悩みの原因は、多くの場合、モノの言い方・伝え方にあります。

あなたが仕事中に、部下から「〇〇の件、先方に伝えてもらえました？」と突然声をかけられたら、どう感じるでしょうか？　おそらく乱暴で唐突な印象を抱くと思います。もし「少しお時間よろしいですか？」とひと言添えられていたら、相手への印象はかなり変わるのではないでしょうか。

相手を気遣うひと言は、好感度がぐっと上がる「相手に好かれる言い方」の代表例です。

使用する際に常に意識してほしいのは、さりげない「気配り」と、相手に「恥をかかせない」こと。相手の立場や気持ちを考えて伝えることで、相手はきっとあなたに好意を抱くことでしょう。同時に、相手に恥をかかせないことも重要です。人間の根本にある自尊心を守るように意識しましょう。

お願いするとき

相手を聞く態勢にする

「申し訳ありませんが」「お手数ですが」などのひと言を添えると、相手が聞く態勢に入るので、お願いを聞き入れてもらいやすくなります。

断るとき

「頭ごなし」「無下に」はNG

断るときは、まずは相手の依頼内容をよく聞き、おわびの気持ちを表しつつ、できない理由を伝えます。相手を説得する気持ちで臨むとよいでしょう。

謝罪・おわびをするとき

初期対応として先に謝罪する

まずは自らの誤りを認めることが大切で、相手に非難される前に謝罪するのが効果的です。おわびの言葉はさまざまあるので、TPOに合わせて使い分けましょう。

“伝える力”が身につくと仕事も人間関係もうまくいく！

“伝える力”を磨くことで相手の信頼が得られ、あなたの好感度も上がります。ここでは、モノの言い方・伝え方を工夫することがいかに重要かを確認しましょう。

わかりやすく伝えることで人間関係が良好になる

モノの言い方・伝え方を工夫すると、自分の考えや共有したい情報を、正確にわかりやすく相手に伝えることができます。その結果として、仕事のクオリティが上がり、相手の信頼を得ることができます。また、相手の理解も促すことができるため、仕事がスムーズに進んでいきます。

すると、周囲のあなたへの評価と好感度が上がり、多くの人の協力が得られるようになって、より高い目標を達成することができるでしょう。

モノの言い方・伝え方には、相手に出来事や状況といった「情報」を伝えて理解してもらうもの、よい人間関係を築く、協力してもらうといった「目的」を果たすためのもの、そして、対話やミーティングなど「相手」に主眼を置いたものがあります。まずは「どうすればうまく伝わるのか」を学んでいきましょう。

会議で自分の意見を通したいとき

場の空気が重々しく行き詰まりがちな会議のときこそ“伝える力”がものをいいます。伝え方を工夫することで淀んだ雰囲気が一変し、自分の意見を相手に理解してもらいやすくなります。

営業の場面で旗色が悪いとき

旗色が悪い場面で相手の気持ちを変えたいときにも“伝える力”が必要です。相手の意欲を喚起するよう、明るく積極的に伝えることで成功をつかみやすくなるでしょう。

言いにくいことを伝えるとき

仕事の効率化や時間の短縮など職場の改善を提案すると、時として周囲の反発が予想されます。そんなときは、相手の心中を推しはかって伝えるようにすると同意を得ることができるでしょう。

相手に「好かれる」モノの言い方5つのキホン

いつでも「相手の感情に気を配る」ことができるように、モノの言い方・伝え方のキホンを押さえておきましょう。TPOに合わせて柔軟に活用することも大切です。

1 冒頭に「クッション言葉」を入れる

用件から話し始めない

人に何かをお願いするとき、いきなり頼み事を切り出すのはNGです。「大変お手数ですが」「少しお時間よろしいですか？」など、本題に入る前に「クッション言葉」を入れると、相手への気遣いが伝わって頼みを聞き入れてもらいやすくなります。

2 相手の話をしっかり受け止める

実は"聴く力"が重要

聞き上手になる第一歩は、「違いを受け入れる」こと。自分とは異なる考えや否定的な意見であっても、「おもしろい発想ですね！」などと肯定し、相手の考えを引き出しましょう。自ら聞く姿勢を示すことで、その後の対応に余裕が生まれます。

3 相手に考える余地を残してあげる

一方的に要望を伝えない

要望を伝えるときは、場の空気を読むこと、相手の忙しさを考えることが大切です。相手の立場や状況に配慮して選択肢や時間を与え、相手に考える余地を残すようにしましょう。また、自分の話ばかりにならないよう意識することも忘れずに。

4 否定的な表現は使わない

ポジティブな表現をはさむ

否定するときは、「確かにそうですね。でも、こんな場合は……」といったように、いったん相手の話をポジティブに受けとめてから、自分の言い分を伝えること。「Yes, But (はい、しかし)」と覚えておくとよいでしょう。

5 丁寧な表現を心がける

常に敬意をもって接する

コミュニケーションは「認識」「理解」「尊重」の3つから成り立っています。言葉遣い、とくに敬語は「尊重」を示す表現のひとつです。自分が知っていることは相手も知っていると思い込まず、「伝える」のではなく「伝わる」言葉遣いを心がけましょう。

言葉だけでは足りない！
態度にも表れる印象に注意

相手に何かを伝えるときは、「態度」にも気を配る必要があります。見た目の情報が印象の大半を占めるので、相手の視覚に訴えて「好感のもてる人」と思ってもらえるように。

振る舞いのくせだけでなく
“言葉のくせ”にも気をつけること

「相手に好かれる」ための態度のポイントには、「背」「目」「手」「足」「服」「くせ」の６点があります。

なかでも「くせ」は、振る舞いのくせだけでなく、自分では気づきにくい“言葉のくせ”もあります。言葉ぐせが出るのは、自分が話す内容や伝え方に自信が持つことができていないからです。話す内容を再考したり、話す前にリハーサルをしたりして、事前に準備を整えて言葉ぐせを解消しましょう。

また、相手のあいづちやうなずきが少ないと、こちらの話がうまく伝わっていない可能性があるので、「わかりにくい点などはありますか？」などと適宜、声をかけるようにしましょう。

相手に好印象を与える態度

背

背筋をピンと伸ばし、あごを引くことで、堂々とした印象を与えることができる。

目

胸のあたりと目は、相手のほうにきちんと向けるようにする。

手

手は後ろに組まず、前組みのときには指を交差させないよう気をつける。

足

根が生えたようにしっかりと大地につかせる。そして、ひざの後ろを伸ばすようにする。

服

清潔感・きちんと感・おしゃれ感などに気を配り、身だしなみをきちんと整える。

くせ

振る舞いのくせだけでなく、“言葉のくせ”にも注意。まわりの人にチェックしてもらうのもアリ。

「損する言い方」が「人の心を動かす言い方」に変わる

相手を気遣う〈言いかえ〉のコツ

普段つい使ってしまっている「損する言い方」を、相手に「好印象を与える」言い方に変える8つのポイントを紹介します。「相手にを気遣う受け答え」と合わせて意識しましょう。

相手への配慮や思いやりの心が好かれる言い方の根っこにある

好かれる人の話し方の特長は、相手に「伝わりやすい」ように話し、「人の心を動かす言い方」をしています。その根底には、相手に対する「思いやり」の心があります。「どうしたら相手がわかりやすいか？」「どうしたら気持ちよく聞いてもらえるか？」、常に相手の立場や状況をおもんぱかって話をしているのです。そのため、相手に配慮したひと言が自然と口に出てきて、周囲の人びとに好かれるのでしょう。ここで紹介する8つのポイントさえ押さえておけば、あなたもきっと上手に気遣いができる人になれるはずです。

ポイント ①

相手にきちんと伝える

理解の質を問うて感覚を共有する

「伝える」のではなく「伝わる」ことが重要ですが、きちんと伝わっているのかは質問をしてみればわかります。質問は「質を問う」と書くとおり、相手の理解の「質」を問うことができます。一通り説明を終えたら「ご不明な点はありませんか？」と確認してください。

きちんと伝わる言いかえ

わかりましたよね？

ご不明な点はありませんか？

POINT 相手がわかっていると決めつけずに、きちんと理解しているかを確認しましょう。

～が必要になります。

もしも～がなかったらどうなりますか？

POINT 理解の確認と深化のために、質問をはさんで相手に考えさせるのもいいでしょう。

ポイント 2

相手が動きたくなるように話す

説得されていると気づかせない大人の説得方法

お金や命令ではなく、言葉で相手を動かすためには「説得」が必要になります。相手がしぶしぶ動くようでは、きちんと説得できたとは言えません。良好な関係を築きながら、きちんと説得するためには、相手に説得されていると気づかせず、あくまで自発的に「動く」ような言い方で「動かす」のがポイントです。

相手の意思に働きかける言いかえ

～してもらえます？

⬇

あなただったらどうしますか？

POINT　ストレートに頼むのではなく、相手の自由意思に任せてみるのもひとつの方法です。

～してもらえます？

⬇

～したら、
きっと○○さんが喜ぶでしょうね！

POINT　結果を示すと相手のイメージがふくらむので、要求が通りやすくなります。

ポイント 3

相手に気づいてもらう

相手に新しい視点を提示して意識を変えさせる

大人のモノの言い方にするには、多角的な切り口で考察して、分析することが大切です。多角的な物の見方をするには、知識や経験が必要になるため、上級者向けのテクニックとも言えます。しかし、常に視点の設定位置を意識しておくことでセンスが磨かれていくので、心に留めておきましょう。

相手に気づかせる言いかえ

お考えはわかりました。

〜とも考えられませんか？

POINT 視点を変えて提示すると、きちんと話を聞いて考えている印象を与えられます。

それは動かしがたいですね。

別の見方をすると……

POINT 別の視点から考えてみると、突破口が見つかることがあります。

ポイント 4

相手のメリットを提示する

「NO」と言われたら、コミュニケーションで突破

「NO」があるから説得、コミュニケーションが必要になるのです。まずは相手に声をかけてみて、感じよく返ってくるかを確認。そこで拒否されたり、拒絶されたりと、自分の思い通りには返ってこないのが生身の人間です。しかし、そのときこそ相手に自分のことをわかってもらうチャンスだと考えてください。

相手の「NO」を突破する言いかえ

そこがダメですか……

⬇

こういうメリットがあるんですが……

POINT もしまだ相手が気づいていないメリットがあれば、それを提示してみましょう。

次回、ぜひお願いします。

⬇

本当にいいのですか？　今だけですよ！

POINT 今、ここで決めるメリットを提示して、「YES」を勝ち取りましょう。

ポイント 5

相手の満足感を高める

双方が満足できる合意を目指して交渉する

相手から「NO」と言われたときは、会話を進めながら「NOの理由」を探りましょう。そして、理由や対立点を見つけたら、それを調整して合意を形成する段階に入ります。このとき、相手の印象をよくして、次につながる関係性を構築するには、相手の満足感を高める言い方をするのがポイントです。

相手の満足感を高める言いかえ

○○で使えますよ。

⬇

○○以外に××でも使えますよ。

POINT ひとつだけではなく、副次的なメリットを挙げると交渉がスムーズに進みます。

ありがとうございました。

⬇

お客様が喜んでくれて本当によかったですね！

POINT 一緒に仕事をした苦労を分かち合うひと言をかけると、相手に満足感が生まれます。

ポイント 6

相手の自尊心をくすぐる

選択権を与えて、相手の自尊心を刺激する

相手に選択肢を示して、相手が「選べる」状況に持ち込むテクニックがあります。これは、実はこちら側がお膳立てをしているのですが、相手側は「選べる」と思うため自尊心をくすぐられます。ただ、これ以外でも自尊心をくすぐるときは相手側の事情や考えを汲み取ることが重要です。

相手の自尊心をくすぐる言いかえ

何とかお願いします。

⬇

ほかでもないあなただからこそ、
お願いしたいのです。

POINT 相手の自尊心をくすぐると、重い腰を上げさせられることも。

他を当たってみます。

あなたしかいないんです！

POINT 相手に「自分は特別視されている」と感じさせて、要求を通す言い方です。

ポイント 7 相手の負担を軽くする

相手が実現可能な範囲でさりげなくお願いする

難しい仕事や手間のかかる仕事を頼むときは「私も少し受け持つので、お願いできますか？」など、さりげなく相手の負担感を軽くするとＯＫをもらいやすくなります。自分と知識経験が違う人に「これくらいなら簡単だよね」と押しつけるのではなく、相手にとって実現可能な方法を考えて提示しましょう。

相手の負担を軽くする言いかえ

これお願いしますね。

⬇

**全部でなく一部でいいので
お願いできますか？**

POINT　YESを引き出したいときは、相手の立場に配慮して負担を軽くしましょう。

これ全部お願いできますか？

どれくらいだったらできそうですか？

POINT　相手の状況が分からないときは、素直にどれくらい負担できるかを聞くのも手です。

ポイント 8

相手に選ばせる

限定・選択型の質問をする

具体的な質問、全体的な質問ばかりだと、相手を疲弊させる恐れがあります。そこで、「YES」か「NO」で答えられたり、答えの選択肢が限られた質問を交えるとよいでしょう。相手に選ばせることで、自分が望んでいる方向に話を誘導することもできます。

限定・選択型の質問になる言いかえ

それは何ですか？

⬇

**それはデジタルですか、
アナログですか？**

POINT 選択肢を設けることで、相手が答えやすくなります。

がんばる人のほうがいいですよね？

⬇

**がんばる人とがんばらない人、
どちらが好きですか？**

POINT 自分の価値観を押しつけた聴き方はひとりよがりな印象に。

column

相手を気遣った伝え方のポイント10選

ひとりよがりな伝え方では、相手に伝わりません。自分は伝えるのが下手・苦手だと思っている方は、まず、この10個のポイントを押さえておきましょう。

胸のあたりと目は、相手のほうにきちんと向けるようにする

▶▶ まずは聞き役にまわり、相手の知りたい箇所を確認すること

声かけやあいさつで聞き手の関心をつかむ

▶▶ 第一印象をよくして、相手が話を聞く態勢にすること

身近な具体例を用いて伝えることを習慣づける

▶▶ 相手に合わせた具体例を提示すること

話がひと区切りしたところで確認する

▶▶ 一方的に話し続けないこと

「視覚情報」からも伝わり方を観察する

▶▶ 相手の目や態度、表情などから探ること

相手が話を聞きやすい態度や表情を意識する

▶▶ 「目から入る印象」をよくすること

言葉だけでなく現物やビジュアルを活用する

▶▶ 相手に伝えるのに役立つツールを使うこと

相手に発言させる

▶▶ 質問をして聞き手の注意を引くこと

見聞きしたことを実況中継のように伝える

▶▶ 話に強調点や山場を設定すること

簡潔な表現で短時間で伝える

▶▶ 短文で区切って「。」が多い文章にすること

“聴く力”を身につけて相手への理解や共感を示す

相手を気遣う〈受け答え〉のコツ

“聴く力”を身につけるため、知っておくと便利な8つのポイントを紹介します。どんな受け答えをすればさり気なく相手を気遣うことができるのか、しっかり学びましょう。

よい人間関係を築くにはまず相手の話を聴くこと

“伝え上手”になりたいと思っている人が「何か話さなければ！」と焦ってしまい、失敗をすることもしばしば。そこで、まずは相手の話を聴くことから始めてみましょう。ちなみに、話を聴くときにやってしまいがちなのが、相手の話を勝手に自分の興味があるほうへ引っ張ってしまうことです。話し手が会話を続けようとする意欲を失わせ、必要な情報も入手できなくなります。さらには、あなたの印象が悪くなる可能性もあります。まずは“聴く力”を養い、相手を理解するようにしましょう。

相手を肯定し認めて受け入れる

相手を認めて自分の意見を言う

相手に「好かれる」キホンは３つあります。「肯定する」は、「すごい」「面白い」など相手が喜ぶ肯定的な意見を言うこと。「認める」は、相手の人柄や発言を「肯定的に」認識すること。「受け入れる」は、自分とは違う意見や苦手な意見を受け入れてから、自分の意見をしっかり伝えるのがポイントです。

相手に喜ばれる受け答え

そうなんですね。

⬇

それはすごいですね。

ただ相づちを打つだけでなく、素直に肯定の言葉を添えるとよいでしょう。

知らないですね。

⬇

初めて知りました！

「知らない」と否定するのではなく、関心を示すとよいでしょう。

ポイント 2

相手の話をはずませる

打てば響くようにあいづちを入れる

自分の話に、相手がテンポよくあいづちを打ってくれると話がはずみ、気分もよくなります。とはいえ、「うん、うん」と首を振るだけでは味気がないです。話をするほうも、相手が話を聴いているのかどうか不安になるので、状況に合ったあいづちを的確に使い分けるようにしましょう。

相手の話をはずませる受け答え

そうなんですか？

⬇

そうなんですね、すごいですね！

POINT 疑う感じで聞くのではなく、賞賛のフレーズを加えるとよいでしょう。

そうだったんですか。

⬇

なるほど、それは知りませんでした！

POINT 自分が知らなかったことを強調することで、相手を引き立たせます。

ポイント 3 話が理解できていると示す

要約して情報を共有する

相手の話を聴くとき、それを要約して伝えることで、相手の話が理解できていることを示すことができます。すると、相手から「この人は機転が利く」「この人なら安心して任せられる」と評価され、信頼を得るだけでなく、ビジネスならば次のチャンスへとつながっていきます。

相手の話を理解していることが伝わる受け答え

わかりました。

⬇

つまりは、〇〇ということですよね！

何を理解したのかを明確にすることで、誤解を防ぐことができます。

ああ、あの話ですね。

⬇

今の話は、
先ほどの話と共通していますね。

相手の話をこちらで整理し、自分の言葉で表現して相手に伝えます。

ポイント 4 相手の話に興味・関心があることを示す

目を輝かせ、豊かな表情で聞く

話を聞くときは目を輝かせ、「喜怒哀楽」の表現を豊かにしてみましょう。それだけで、「あなたの話に興味がありますよ」というアピールになります。逆に無表情だったり、落ち着きがなかったり、姿勢が悪いと、相手を戸惑わせてしまいます。

相手の話に興味・関心があることが伝わる受け答え

よかったですね。

⬇

（目を真ん丸にして）
よく持ちこたえましたね！

POINT 心がこもっていない感嘆は、相手に不信感を抱かせる恐れも。

盛り上がりそうですね。

（目を輝かせて）
聞いているこちらもワクワクしますね！

POINT 興味・関心を示すあいづちは、オーバーな表現にしてもよいでしょう。

ポイント 5 相手の自尊心を高める

相手の自尊心をくすぐる

相手の自尊心をくすぐるような反応を示すことで、「自分は特別視されている」と感じた相手は、「この人には何でも話せる」と思うようになるでしょう。相手のテンションを高めることができれば、こちらが伝えたいことの理解やお願いしたいことの承諾を得やすくなります。

相手の自尊心をくすぐる受け答え

できるかもしれませんね。

〇〇さんでなければできませんね！

POINT 「〜でなければ」というフレーズは、自尊心を高めるのに効果的です。

素晴らしいですね。

さすがは〇〇さんですね、素晴らしい！

POINT 名前を呼ぶことで、相手の自尊心をさらに高めることができます。

ポイント 6
相手に具体的な答えを求める

具体的に聴いて、話を促すように

具体的なことを聴くことで、相手の話が深みを増します。質問は「5W2H」の形式（When＝いつ、Where＝どこで、Who＝誰と、Why＝なぜ、What＝何、How to＝どのように、How much（many）＝どのくらいの時間・金額など）で、相手の反応を見ながら適度に差し挟みましょう。

相手の話を促がせる受け答え

その話、もう少し広げてもらえますか？

⬇

例えば○○の場合だと、
どうなりますかね？

POINT 相手の前の話に関連づけて質問をすれば、話がふくらみやすくなります。

なるほど。

その○○は、
いつ頃から始めましたか？

POINT 具体的な答えを求める質問で、より深い話を聴くことができます。

ポイント 7

相手の意外な答えを引き出す

全体的なことを聴いて意見を引き出す

「目標は何ですか？」「何が好きですか？」などの漠然とした質問は、なかなかすぐには答えられないものです。そのため、初対面の相手にはあまり適しませんが、この質問をうまく行えば、相手から意外な答えを引き出す可能性があります。

相手の意外な答えを引き出す受け答え

将来はやはり○○ですか？

⬇

将来はどう考えていますか？

POINT 漠然とした質問で、相手から意外な答えを聴けるかもしれません。

どうですかね？

○○のような場合は、どうですかね？

POINT あまりに漠然としすぎていると、会話がストップする恐れも。

ポイント 8

相手の気持ちを考える

自分が正しいと思い込まないように

あるとき、列に割り込んだ若い女性に50歳くらいの男性が「急いでるんだねぇ」と優しく声をかけると、女性は「すいません、気づかなくて」と言って列に並び直しました。女性は並んでいることに気づいていなかったのです。このように、相手の立場や気持ちを感じて相手に合った言い方をすることも大切です。

相手に共感を示す受け答え

それはあなたのミスではないですよ。

私があなただったら同じようにします。

POINT 想定外の状況におちいった相手には共感を得る言い方をするのが適切です。

大変でしたね。

ご心配でしたね。

POINT 相手の立場で考えて言い方を変えると、共感を生む言い方になります。

言いかえの他に効果的なこのひと言！

すぐ覚えられる 厳選〈クッション言葉〉

ひと言加えるだけで、魔法のように相手の印象をよくする「クッション言葉」。すぐに使える24個のフレーズを習得して、ワンランク上のコミュニケーションを目指しましょう。

口調の印象がやわらかくなり 好印象を与える前置きの言葉

クッション言葉とは、相手に「お願い」や「反論」、「お断り」などをする際に、本題の前に置く言葉で、口調の印象をやわらかくする効果があります。通称「ビジネス枕詞」とも呼ばれ、一般的にはビジネスマナーの一環として使われている言葉です。オブラートに包むように、その場の空気を和らげてくれるため、人間関係を円滑にするための言葉遣いのひとつとして、ぜひとも身につけておきたいフレーズです。多用すると空々しく聞こえることがあるので、使いすぎることのないよう注意しましょう。

お願いするときのクッション言葉

前もって確認したいとき
納期の延長をお願いしたいとき
同行をお願いするとき……など

01 恐れ入りますが／恐縮ですが

POINT 相手を尊重しているという意向を示すために、「恐れ入りますが」「恐縮ですが」を使いましょう。頭に「大変」をつけるとなおよいでしょう。

---

02 申し訳ありませんが

POINT いきなりお願い事をすると、一方的な印象を与えてしまいます。人に何かを頼むときは、相手の状況などを慮って「申し訳ありませんが」とひと言加えるとよいでしょう。

---

03 勝手申し上げますが

POINT 難しいお願いをするときは、「勝手申し上げますが」と伝えたうえで、まず聞き手に「結論」を伝えた後に「理由」をきちんと述べましょう。例：「勝手申し上げますが、企画の方向性を再検討したいと思っております」

04 申し上げにくいのですが

POINT お願いをするときの枕詞。こちらの主張を理解してもらえるように促すことができ、相手が話を聞く態勢になる言葉でもあります。頭に「誠に」をつけるとなおよいでしょう。

---

05 お手数ですが

POINT 忙しい相手に時間を割いてもらうときは、「お手数ですが」とひと言を加えることで印象がかなり変わります。相手に気持ちよく動いてもらうことができるでしょう。

---

06 お忙しい中

POINT 相手に配慮した言葉（「恐縮ですが」など）やおわびの言葉（「申し訳ございませんが」など）の前につけることで、相手のポジティブな気持ちを引き出すことができます。

---

07 ぜひとも

POINT 「あなたにお願いしたい」という熱意がなければ、相手の気持ちを動かすことはできません。「ぜひとも」という枕詞を使って、その人にお願いしたい気持ちを強めて伝えることができます。例：「ぜひとも、〇〇様のお力添えをお願いします」

ていねいな印象を与えるクッション言葉

理由・根拠を明確にするとき
相手の名前や担当者を聞くとき
感謝の気持ちを伝えるとき……など

01 おかげさまで

POINT 日頃からお世話になっている相手に対して、敬意と感謝を同時に伝えることができるフレーズです。今後も相手に自発的に動いてもらうことができるでしょう。

---

02 差し支えなければ

POINT 相手の意向を確認し尊重している表現として、「差し支えなければ……」というのも大人の言い回しです。相手にメールアドレスなどを聞くときに使いましょう。

---

03 念のため

POINT 重要なことを確認して念押しするときや、合意した内容を再確認したいときに使えるひと言です。慎重でていねいな印象を与えられるので、積極的に使っていきましょう。

04 あいにくですが

POINT 最初から「できません」という否定の言葉を使うことなく断ることができるビジネス枕詞です。「都合があってできない」ということをしっかり説明しましょう。

---

05 なるほど

POINT 会話では相手の言葉を受け取って、返すことが重要です。相手に「無視された」と思わせないように、タイミングよく相づちを打ちましょう。例：「なるほど、それはなかなか難しい案件ですね」

06 早速

POINT 「早速」とすぐに実行することを伝えれば、相手に安心感を与えることができます。実際ただちに行動に移し、その後の報告も忘れずに。例：「ありがとうございます。早速、資料を拝見いたします」

---

07 お気遣い

POINT お礼にも謝罪にも使える枕詞です。お礼を伝える場合には、感謝の意とともに敬意を表することができます。例：「お気遣いいただきありがとうございます。ぜひ参加させてください」

---

08 言葉が足りず

POINT 説明不足で相手に負担をかけてしまったときに使います。相手側に多少問題があったとしても、このひと言を加えて先に謝ることが重要です。例：「私の言葉が足りず、ご迷惑をおかけしました」

---

09 失礼ですが

POINT 人にものを尋ねるときは、唐突な印象を与えないように「失礼ですが」と話し始めましょう。このひと言がないと高圧的な印象を与え、尋問するような形になってしまうこともあるため要注意。

わかりやすく伝わるクッション言葉

こちらが伝えたい核心に迫るとき
言葉の定義や概念を確認するとき
事柄の背景を確認するとき……など

01 結論から申しますと

POINT わかりやすく伝えるためには、結論を先に伝えてから細かい事柄を述べていくと効果的。まずこのひと言から話し始めると相手が聞く姿勢になり、込み入った話でも伝わりやすくなります。

---

02 ひと言で言うと

POINT 相手に話すときは、「一番伝えたいことは何か」を明確にして、主題（結論）に沿って情報を整理することが重要です。それを要約するときに、「ひと言で言うと」と話をまとめましょう。

---

03 要するに

POINT 話の中のキーとなる言葉や事柄が「なぜ必要（重要）なのか」を、「要するに」というフレーズを用いて伝えるようにします。すると、その部分が相手の記憶や印象に残りやすくなり、主旨が伝わりやすくなります。

04 例えば

POINT 「例えば」は、今まで述べた事柄について、たとえ話を用いて説明するときに役立つひと言です。たとえ話は、こちらが伝える話の内容をわかりやすくするテクニックのひとつでもあります。

---

05 逆に言うと

POINT 時にメリットだけでなく、デメリットを伝えなければならない場面もあります。そのとき「逆に言うと」という枕詞を使い、別の視点から語ることで、そのデメリットにもメリットがあることなどを伝えられます。

何気ないひと言、きちんと言えてますか？

◉今よろしいでしょうか？

忙しそうな人に話しかけるときは、「今よろしいでしょうか？」のひと言でこちらの気遣いが伝わるので、相手が聞く姿勢になってくれます。
例：「部長、今よろしいでしょうか？　見積書の決裁をお願いします」

◉恐れ入りますが……

相手に好印象を与えられるビジネス枕詞。「言葉遣いは心遣い」といわれるように、相手に対する敬意を伝えるのは社会人としてのマナーです。例：「恐れ入ります。今後の仕事のヒントにさせていただきます」

～上手な言いかえで相手に好かれる～

自分の考えや思いが〈うまく伝わる〉言いかえ

- SCENE1　感謝する
- SCENE2　謝る
- SCENE3　お願いする
- SCENE4　誘う
- SCENE5　主張する／意思を伝える

感謝する

「ありがとう」の言葉以外に、お礼を伝える表現はさまざまあります。感謝の気持ちを伝える場面では、相手の気持ちや相手にしてもらったことを想像しながら伝えましょう。

■ 人に協力してもらったプレゼンが成功したとき

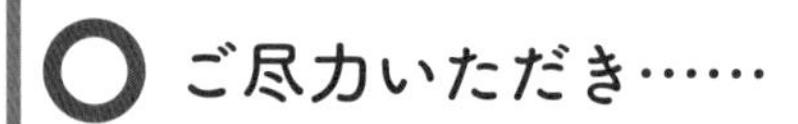

✕ さすがですね。

POINT 相手の協力に対してお礼を伝えるときに使います。日頃からお世話になっている人には、改まって感謝の気持ちを伝えるようにしましょう。例：「このたびは我々の企画のプレゼンにご尽力いただき、誠にありがとうございました」

»【尽力】とは…ある目的の実現のために、力を尽くすこと。

■ 受注した仕事をやり終えたとき

○ お力添えいただき……

お疲れさまでした。

POINT 手助け、後押し、支援してくれたことに対する感謝を示せます。目上の人に効果的なフレーズです。例：「〇〇様にお力添えいただきまして、無事終えることができました」

■ 仕事の提案を通してもらったとき

甚大なるご配慮をいただき……

いつものことながら……

POINT 感謝の程度が極めて大きいときに使う言葉です。ささいなことに使ってしまうと言いすぎな印象を与えてしまうので注意。

≫【甚大】とは…程度のきわめて大きいさま。

■ 特段の配慮をしてもらったとき

○ ご高配（こうはい）いただき感謝いたします。

✕ お気遣いいただき、嬉しいです。

POINT 「高配」とは、相手を敬って、その心配りをいう言葉です。「ご高配を賜り、厚く御礼申し上げます」とすれば、より丁寧な表現になります。

■ 変わらぬつき合いに感謝を伝えたいとき

○ ご厚誼（こうぎ）に感謝いたします。

✕ いつもいつもありがとうございます。

POINT 長年つき合いのある人に対して使う表現です。これまでの協力に感謝しつつ、「これからもよろしく」という意味にもなります。

>>【厚誼】とは…情愛のこもった親しいつき合い。厚いよしみ。

■ 打ち合わせを終えたとき

本日は貴重なお時間を
ありがとうございました。

聞いていただけただけでも
光栄です。

長々と一方的にすみません。

POINT 「あなたにご参加いただいたため、具体的な話が出て、問題解決に近づくことができました」と、感謝の気持ちを伝えることができます。

「あなたのご協力で、ようやくここまでたどり着けました」と伝えることで、「次回はいよいよ上司同席の本番です」という意気込みも伝わります。

上手に伝えるためのヒント

コミュニケーションの基本①

相手との信頼関係を築く

もし相手が自分を信頼していなければ、説得の基本スキルが備わっていてもうまくいきません。日頃から良好な関係を築き、相手を説得するための“土台”を築いておきましょう。

■ 想像以上に評価してもらったとき

〇 身に余る光栄です。

✕ ありがとうございます。

POINT 「私のような者が……」と「もったいない」という気持ちを表すフレーズです。条件のよいオファーを受けたときなどにも使います。

■ 激励の言葉をもらったとき

〇 お礼の言葉もありません。

✕ ありがとうございます。

POINT 「励ましの言葉をいただいて、勇気が出てありがたかった」という感謝の気持ちを表現できます。目上の人に対して使う表現です。

≫【身に余る】とは…処遇が自分の身分や業績を超えてよすぎる。／与えられた仕事や責任が自分の能力に比べて重すぎる。

■ 指名で仕事をもらったとき

お役に立てて光栄です。

**○○さんとお仕事できて
光栄です。**

私でいいんですか？

POINT 指名が来るというのは、相手に好かれ、相手の要望を満たした証拠。「私でいいんですか？」と恐縮するのではなく、お客さま目線の表現で「お役に立てて光栄」という大人の言い方で感謝の気持ちを伝えるのが効果的。

「指名で仕事をもらう」ことは「パートナーとして働く」という意味。「光栄」と伝えることで、自分自身にも意欲を喚起できる伝え方です。

上手に伝えるためのヒント

コミュニケーションの基本②

相手をその気にさせて動かす

説明が上手でも、相手の心を動かせなければ「説得」にはなりません。相手が自分から行動するよう喚起しましょう。

■ 人柄をほめられたとき

○ **未熟者の私のことを
おほめいただき……**

× いえいえそんな……

POINT 人柄は、個人特有のものなので、言った本人は本心で言っていることが多く、好かれている証拠でもあるので、謙遜しても感謝の言葉は素直に伝えるように。

■ 取引先の上役から直々にほめられたとき

○ **私のような者には
もったいないお言葉です。**

× ありがとうございます。

POINT 目上の人に「恐れ多い」というニュアンスで感謝を伝えるときに使うフレーズ。オーバーにならないように注意。

■ 体調を気遣ってもらったとき

いつもお心配りいただき……

お気遣いありがとうございます。

ご心配をすみません。

POINT 嬉しかった気持ちを丁寧に伝えるときに使う表現。相手の配慮や心遣いに対する感謝を示します。

「お気遣いありがとうございます。早く治しますので……」と感謝の意を伝えるとともに、相手にこれ以上、心配をかけないようにひと言つけ加えましょう。

上手に伝えるためのヒント

コミュニケーションの基本③

相手に理解してもらう・納得してもらう

相手に理解・納得してもらうために必要なのが「説明能力」です。具体的には「話を順序よく配列する」「強調すべき箇所を打ち出す」「相手の理解度を確認しながら話す」「1テーマごとに区切って話す」などがあります。

■ お昼をごちそうになったとき

○ とても充実したお昼休みでした。

× おいしかったです。

POINT 充実したということで、味、時間、気持ちなどを含めた表現になります。自分の満足感を素直に伝えるのも大人の言い方のひとつ。

■ 自分の成功を祝福してもらったとき

○ みなさまに支えられて
実現できました。

× 私自身が最も驚いております。

POINT 自分一人の力ではなく、周囲の人間の協力があってこその成功と表現することで、「組織人」「大人」という印象になります。

お祝いの品をもらったとき

お心遣いをいただき……

お気持ちだけでも、
大変ありがたく存じます。

○○をお送りいただき……

POINT 質・量ともに最大限の感謝の気持ちを表す言葉です。気持ちを込めて伝えると、さらに印象がよくなります。

自分には過ぎた程度の行為に対しての感謝を示します。何かをもらったときはそれに対する謝辞を忘れずに。

■ 失敗をフォローしてもらったとき

○ 誠に頭が下がる思いです。

× 大変失礼しました。

POINT 失敗に対する謝罪とフォローへの感謝を伝える言い方です。「誠に」をつけると少々堅い印象になるので、使いどころに注意。

■ 仕事をフォローしてもらったとき

○ ご助力(じょりょく)いただき……

× 助けていただき……

POINT 「今回の案件ではご助力いただき、痛み入ります」などと、フォローしてもらったときの丁寧なお礼の仕方。「痛み入ります」は少し大袈裟になってしまうので、時と場合を選んで使いましょう。

■ 急な来客時にすぐにお茶をいれてもらったとき

いつもタイミングがいいよね。

○○さんほど
気が利く人はいないですよ。

あ、ありがとう。

POINT お茶出しはお客さまがいらして最初の場面。単に感謝するのではなく、「タイミングがいい」と具体的にほめると、相手が今後も意識してくれるので一石二鳥。

「誰も他に気づく人がいない」「急な来客なのにすごい」という気持ちが伝わるので、ほめられるほうもやりがいと満足感が味わえる伝え方です。

■ 先回りして仕事を進めてもらったとき

○ 一を聞いて十を知るとは、
このことだね。

× そこまでやってくれたの？

POINT 「一を聞いて十を知る」ということわざを使うことで「人の十倍気が利くね！」という気持ちを、さりげなく効果的に伝えられます。

■ 相手の配慮に感謝を伝えたいとき

○ かたじけなく……

× 助かります。

POINT 感謝の念を表す「かたじけない」は、まるで時代劇のような表現で若干違和感を持たれてしまう可能性もあるので、ときと場合を選んで使うようにしましょう。

>>【かたじけない】とは…もったいない。恐れ多い。／身に受けた恩恵に対し、感謝の念でいっぱいであるさま。／恥ずかしい。面目ない。

■ 来訪に感謝するとき

 おめずらしくも……

 久しぶりに……

POINT 目上の人に対して使う言い回し。「久しぶり」という意味に加えて、「わざわざお越しいただいて恐縮です」というニュアンスを伝えることができます。例：「おめずらしくもお運びいただいて光栄です」

■ 贈り物に感謝するとき

 重宝しております。

 使ってますよ。

POINT 便利で役立つものという意味なので、お菓子などのいただものに対して使うと違和感があるかもしれないので注意。

謝る

ただ謝るのではなく、理由や今後の対策などを明確にして謝ることが大切です。謝り方を間違えると、さらに大きな問題を引き起こしてしまうので、注意しましょう。

謝罪の意思を示すとき

謝意（しゃい）を表します。

謝ります。

POINT さまざまな関係者に対して、きちんとあらためて謝罪をするときに使う表現。文章表現でもよく使います。

■ 事情を述べてわびるとき①

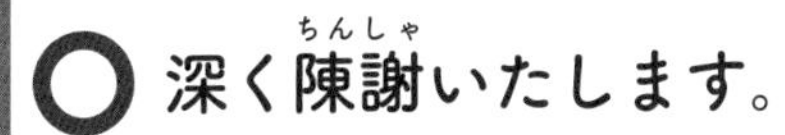

○ 深く陳謝（ちんしゃ）いたします。

× 大変申し訳ございません。

POINT 「このたびの不祥事、深く陳謝いたします」などと使います。「陳謝」だけでも申し訳ない気持ちを表しますが、さらに「深く」をつけてより謝罪の意思を強調しています。

■ 事情を述べてわびるとき②

○ このような顛末（てんまつ）で……

× そんなこんなで……

POINT ミスが起きてしまった理由や経緯を説明する、大人の言い方。「原因をきちんと究明し、その改善に努める」といった印象を与え、これを文章にしたものを顛末書といいます。

■ 不可抗力でのミスを報告するとき

○ やむなく〇〇のような状況に
至った次第です。

× 私のせいではないもので……

POINT 「これは本来の姿ではなく、不可抗力！」「本来のあるべき姿で、再び仕切り直したいです！」という今後への意思を伝えられます。

■ 言い訳をせずにわびるとき

○ 申し開きできません。

× 言い訳のしようもありません。

POINT 自分の責任を素直に認めて、謝罪する表現。合わせて打開策や改善案を提示するとなおよいでしょう。

>>【申し開き】とは…非難を受けたり疑惑を招いたりした事柄について、そうせざるをえなかった理由や身の潔白を述べること。弁明。釈明。

言い訳もできないとき

弁解の余地もありません。

合わせる顔がありません。

言い訳になりますが……

POINT 「弁解の余地もない」と言うことで、「自分で自分を責めるくらい反省しています！」という切迫感を伝えられます。

「顔を見ることもできないくらい深く反省しています」「面目ない」「お恥ずかしい」という気持ちや状況が伝わります。

上手に伝えるためのヒント

正しいアイ・コンタクトを覚える

大勢の前でのスピーチやプレゼンテーションとなると、恐怖から聴衆の目を避ける人も少なくないのではないでしょうか。正しい目の合わせ方を覚えておきましょう。

よい例（ライフル型） 1人につき3秒ほどアイ・コンタクトをとり、話の区切りで視線を変える。

悪い例（機関銃型） 視線が定まらず、キョロキョロして落ち着かないように見えてしまう。

■ 断ったことをわびるとき

○ お役に立てず……

✕ またの機会に……

POINT 素直でストレートな言い方なので、好感を持たれやすい表現。主に依頼を断った後に使う言い回しです。

■ 配慮が足りなかったことを認めるとき

○ 意を尽くせず……

✕ なぜ伝わらなかったのか……

POINT 「意を尽くす」とは、考えをすべて言い表すこと。また、よくわかるように丁寧に言うことです。考えていたことをすべて伝えきれなかったときに使います。

■ 全面的に非を認めるとき

平(ひら)にご容赦願います。

おわびの言葉もありません。

誠に申し訳ありません。

POINT 「平に」と言うことで、頭を下げている様子がイメージできるので、より気持ちが伝わりやすくなります。

「おわびの言葉もありません」と伝えることで、全面的に自分たちの非を認めている姿が伝わります。

≫【平に】とは…相手に懇願するさま。なにとぞ。どうか。／事の実行・成立がたやすいさま。容易に。

■ 失敗を認めるとき

○ 失態を演じてしまい……

× 失敗しちゃいまして……

POINT 言い訳のしようがありませんという反省の気持ちが伝わる表現。大失敗ではなく、ちょっとした失敗のときに使いましょう。

■ 初歩的なミスを犯したとき

○ お恥ずかしい限りです。

× やってしまいました。

POINT 本当に反省している様子が伝わる言い回し。初歩的なミスを犯したことについて深く反省しているため、「どうぞお許しください」と謝罪する気持ちがストレートに伝わります。

■ 自分のミスをわびるとき

不徳(ふとく)のいたすところです。

こちらの手違いでした。

自分のせいです。

POINT 自分の力不足が原因であることを素直に認めているので、相手によい印象を与えることができます。

「勘違い」「思い込み」というビジネスではあってはならない基本的なミスを犯したことを素直に認めて、常識はわかっているということを伝えられます。

上手に伝えるためのヒント

上手に話すための発声練習

話す声が小さかったり、滑舌が悪かったりすると、相手に不快な印象を与えてしまう恐れがあります。しかし普段から発声練習をしておけば、意識的に声が出せるようになります。そこで、日常生活で簡単にできる「口を閉じ、鼻から息を吸う」方法と「呼吸を素早く行う」方法をご紹介しましょう。>>>【p.071、p.073へ】

>>【不徳】とは…身に徳の備わっていないこと。／人の行うべき道に反すること。また、そのさま。不道徳。

■ 認識不足をわびるとき

○ 私の認識不足で……

× 気づかなかったもので……

POINT 自分の責任を素直に認めて、謝罪する表現。合わせて打開策や改善案を提示するとなおよいでしょう。

■ 自分の浅薄さを認めるとき

○ 考えが及びませんで……

× そこまで考えておらず……

POINT 力不足であると素直に伝えることで、相手が感情的になることを防げます。自分を下げて、相手に敬意を表する大人の言い回しです。

■ 反省を表すとき

猛省(もうせい)しております。

慚愧(ざんき)に堪えません。

POINT 反省しているということを最大限に相手に伝える言い方。猛省したあとに、同じミスをくり返さないように注意。

「慚愧」という言葉を使うことで、「自分の見苦しさや過ちを反省して、心に深く恥じている」というより強い気持ちを伝えることができます。

上手に伝えるためのヒント

「口を閉じ、鼻から息を吸う」方法をマスター

「カラスの声」のトレーニング

①口をしっかり閉じて、鼻からたっぷりと息を吸う。
②カラスのように「あぁあぁ」と、吸った息を全部出し切るくらいの大声を出す。
③声を出し切ったら、再び口を閉じ、鼻から息をする。この1～3の流れを何度もくり返す。

≫【慚愧】とは…自分の見苦しさや過ちを反省して、心に深く恥じること。

■ 自分にも落ち度があったと認めるとき

○ 安心しきっていました。

✕ 返事をもらったんですけどね。

POINT 「自分に油断があった」と前面に出してはいるが、「確かあのとき、承知したという返事ももらいましたよね」と確認する伝え方です。

■ 期待に応えられなかったとき

○ 自分の勉強不足がよくわかりました。

✕ いやー、無理でしたね。

POINT 「期待に応えられなかった」＝「自分自身の勉強不足」と、自分のせいにしているので、相手も責めにくくなります。

■ 自分のミスを認めるとき

うかつにも……

私の不注意です。

✕ うっかりしまして……

POINT 自分の人間としての力量が足りなかったことをうまく伝えられる表現。「うっかり」と同義ですが、「うかつ」のほうがビジネス向きです。

「自分の不注意がすべての原因」と認め、「今後はこのようなことがないように気をつけます」と素直に伝えています。

上手に伝えるためのヒント

「呼吸を素早く行う」方法をマスター

声にメリハリをつけるトレーニング
①口をしっかり閉じて、鼻からたっぷりと息を吸う。
②吸い込んだ息を、一気に吐き出す。
③息を吐いたあと、同時に口を閉じて鼻から素早く息を吸う。そして「あっ！」と声を出し、再び口を閉じる。

■ 段取りの悪さをわびるとき

お騒がせして……

✕ バタバタして……

POINT 「申し訳ない気持ちは十分あったのですが……」と念押しする謝り方。相手の気持ちを考えた言い回しなので印象がよくなります。

■ 失礼なお願いをしたとき

〇 **不躾（ぶしつけ）ですが……**

失礼ですが……

POINT 相手に手間をかけてしまう、急になってしまう、といったニュアンスを含み、「不躾なお願いで誠に申し訳ございません」などと使います。「不躾なお願い」とは通常、相手に対して失礼なお願いや無理なお願いといった意味で使われます。

≫【不躾】とは…礼を欠くこと。無作法なこと。また、そのさま。無礼。

■ 相手を怒らせたとき

ご気分を害してしまい……

ご指摘の通りです。

✕ 怒らせてしまい……

POINT 大変失礼なことを行い、深く反省していることを伝える言い回し。自分本位ではなく、相手の気持ちを考えた大人の言い方です。

「〇〇様がおっしゃった通りです！　間違いありません！」と全面的にこちらが悪いと非を認めていることを伝える表現です。

■ 顧客からのクレームにわびるとき

○ ご親切に
ご注意いただきまして……

✕ 大変申し訳ありません。

POINT 「クレームとは、こちらの知らない情報を提供してくれるありがたい行為」とプラスに受け止めていることを「感謝」で伝えています。

■ 間違いやミスに気づかなかったとき

○ ご指摘いただけなければ、
気づきませんでした。

✕ 知りませんでした。

POINT 「ご指摘くださいましたことを、本当に貴重な働きかけと受け取っています」と肯定し、「今後に活かします」という意思を伝えられます。

■ 自分の非をわびるとき

面目（めんぼく）ありません。

肝に銘じます。

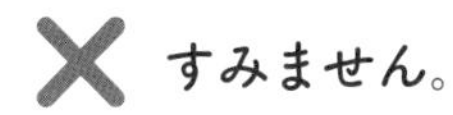

すみません。

POINT 相手に有無を言わせない謝り方なので潔い印象を与えられます。ミスを素直に認められるのも大人です。

「肝に銘じる」と言うことで、「心に強く刻みつけるように、忘れない」という意思が伝わります。

上手に伝えるためのヒント

腹式呼吸で「話し方」を変える

「話す力」を向上させるには、腹式呼吸が重要なポイントになります。自分の呼吸や息継ぎに注意を払いつつ、正しい呼吸法をマスターしていきましょう。>>>【p.079へ】

>>【面目】とは…世間や周囲に対する体面・立場・名誉。また、世間からの評価。めんもく。／物事のありさま。ようす。

■ 不手際をわびるとき

〇 不行き届きで……

✕ 自分ではちゃんとやったつもりが……

POINT 「頭では理解していたのですが、おわびのしようもないくらい反省している」という気持ちを表しています。「自分の力不足で申し訳ない」と周囲のせいにしていないので、ストレートに謝罪の意思が伝わります。

■ 事態処理後に改めて謝るとき

〇 このたびは
お騒がせいたしました。

✕ 今回はすみません。

POINT 事態をある程度処理した後は、「うっかりミス」や「油断」が生じやすいため、「引き続き緊張感を持っています！」と伝えることが重要です。

≫【不行き届き】とは…気の配り方や注意が足りないこと。また、そのさま。

■ 理解不足・説明不足で誤解が生じたとき

心得違いがあり……

言葉が足りず……

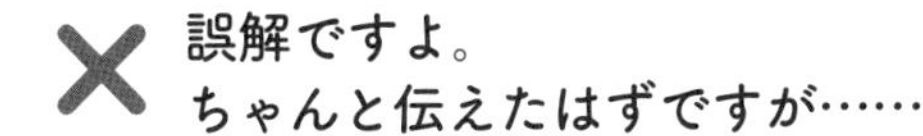

POINT 「私の理解が間違っていました」と自分の解釈の仕方が誤っていたと素直に伝えることがポイント。「そのせいで誤解させた」と相手に伝えることで、それ以上ことを大きくしない伝え方です。

自分の説明不足で十分に伝わっていなかったことを、相手に納得してもらう言い回し。相手のミスをフォローするときにも使えます。

上手に伝えるためのヒント

なぜ「腹式呼吸」がよいのか？

普段、吸う時間と吐く時間はほとんど同じですが、これが会話になると吐く時間のほうが長くなります。その結果、少し長い話をすると口が渇き、それがヘンな口癖やあがり症、会話中の息切れへとつながってしまいます。こうした現象を防ぐには、鼻で息を吸い、ゆっくりと吐く「腹式呼吸」をマスターするとよいとされています。
>>>【p.107 へ】

>> 【心得違い】とは…思い違い。誤解。／道理や人の道に外れた考え方や行い。間違った考え。

お願いする

お願いは、丁寧な言葉遣いで具体的に伝えましょう。相手に対する気遣いも大切です。自分の意図や相手にお願いしたいことをわかりやすく、具体的に伝えましょう。

読んでもらうとき

○ ご一読いただけると幸いです。

× 読んでおいてください。

POINT 書類やメールを送ったときによく使う表現です。お願いごとなので、あくまでも謙虚に伝えるのがポイントです。

■ 検討してもらうとき

○ ご一考いただきたく存じます。

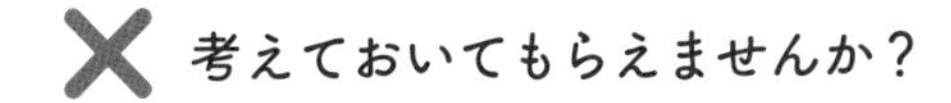

✕ 考えておいてもらえませんか？

POINT 価格に関する件は、とくに慎重さが求められるので「ご一考」という丁寧な表現を使うと効果的です。

■ 見たかどうかを聞きたいとき

○ ご覧いただけましたか？

✕ 見ましたか？

POINT 「手元に届いているかどうか」「確認してもらっているかどうか」を同時に確認できる効率的で丁寧な表現です。

■ 確認してほしいデータや添付資料があるとき

○ ご査収（さしゅう）ください。

× 届いたら確認しておいてください。

POINT 「確認・追加・修正等あれば……」をひと言で表現する言葉。「査収」は受け取って確認する意味の単語です。

■ 時間のあるときにしてほしいことをお願いするとき

○ お手隙の際に……

× 暇なときにでも……

POINT 「お忙しい中、恐縮です！」という気持ちが伝わります。相手の負担感を軽くする効果もある表現です。

■ 然るべき対応をとってもらいたいとき

○ ご善処いただきたく
お願いいたします。

✕ 対応してください。

POINT 「前向きなご対応をお願いいたします」という気持ちが伝わる表現。丁寧にお願いすれば、自然と相手の対応も変わってくるというもの。

■ 慎重にお願いするとき

○ 伏(ふ)してお願い申し上げます。

✕ 本当にお願いします。

POINT 「伏して」という表現によって、頭を下げているイメージが湧きます。イメージを伝える表現のひとつです。

≫【伏して】とは…切に願うさま。くれぐれも。つつしんで。

■ 遠回しにお願いしたいとき①

○ ～していただけると
ありがたいのですが……

× ～してもらえますか？

POINT 「あなたの気持ちや立場もわかるのですが……」ということを前提として、こちらの要望を伝えられます。「お手数ですが……」「恐縮ですが……」と入れるとさらによくなります。

・・

■ 遠回しにお願いしたいとき②

○ ご一考いただけると……

× 考えてもらえますか？

POINT 「ご一考いただけるとありがたい」と、かなり自分をへりくだって、相手を立てているので、依頼された側からすれば少し断りにくくなります。

できればしてほしいとき

~していただけると助かります。

差し支えなければ……

~してほしいんですけど……

POINT 現代では、メールのやり取りなしでは仕事になりませんが、相手の意向を確認し、尊重している表現として「差し支えなければ……」というのも大人の言い回しです。「いろいろとスケジュールやご都合がおありだと思いますが……」と恐縮した気持ちを伝えることができます。

上手に伝えるためのヒント

「話す」と「書く」の違いを知る①

「話す」ことのメリット
- 話した内容は基本的にその場限りで消える
- こちらの感情や気持ちが伝わりやすい
- 相手の反応がその場で返ってくる

「書く」ことのメリット
- 思考を整理できる
- その場で対応せずに済む
- 相手に伝える前に内容を確認できる

>>>【p.089へ】

■ こちらの都合を聞いてもらいたいとき

〇 勝手なお願いで
申し訳ありませんが……

✕ こちらの話なんですが……

POINT ビジネスでよく使うフレーズ。「勝手なお願いで申し訳ありませんが、ご検討いただけますと幸いです（助かります）」などと、「〇〇していただけると～」と続けて使いましょう。

■ すぐに動いてもらいたいとき

〇 状況が変わって
しまわないうちに……

✕ 今すぐやり始めてもらえますか？

POINT 「善は急げ」「思い立ったが吉日」というように、こちらの状況や考えが変わらないうちにお願いしたいと、相手に対して「今すぐに」と強調することができます。

■ 遅い時間にお願いするとき

 夜分に恐れ入ります……

 遅くなってしまいましたが……

POINT 「大変失礼なことは十分承知しておりますが……」という「大人の常識」をわきまえている表現です。

■ 休日にお願いするとき

 お休みのところ申し訳ありません。

 お休みでしたよね？

POINT 「のっぴきならない用事ですので……」ということを伝えることができます。こちらの事情を丁寧に伝えることも大切です。

■ 急ぎでお願いするとき

○ 不躾（ぶしつけ）なお願いで恐縮ですが……

こんなことを頼むのは失礼ですが……

POINT 「急に、しかも無理難題を投げかけているのは十分承知しています」と、自分がいかに無理を言っているかを最初に伝えられます。「失礼な」というとマイナスの印象を与えてしまうので、「不躾な～」と表現したほうが大人の印象を与えられます。

■ 相手の負担になることをお願いしたいとき

○ ぜひ力を発揮してほしい……

ちょっと大変だけど……

POINT 「あなたに負担をかけるのは、十分承知のうえです！」という強い意志を伝えることができます。

■ 無理なお願いをするとき

無理を承知で申し上げるのですが……

他ならぬ○○さんだからこそ、お願いしています。

何とかできませんか？

POINT 「事情があるので、ぜひとも理解を示してもらいたい」という気持ちをしっかりと伝えることに集中しましょう。

「他の誰でもない、あなたに！」というメッセージが、確実に特定の相手に対して届けられます。言い方ひとつで、相手をその気にさせることもできます。

上手に伝えるためのヒント

「話す」と「書く」の違いを知る②

「話す」ことのデメリット
- 緊張してあがってしまうことも
- その場で対応しないとならない
- 伝えた内容があいまいになることがある

「書く」ことのデメリット
- 記録や証拠として残る
- 感情や気持ちが伝わりにくい
- 相手からの返事はすぐ返ってこない

>>>【p.091 へ】

■ 強くお願いしたいとき①

○ ◯◯してもらえるよう、
切に願います。

✕ 絶対◯◯してください！

POINT 「ぜひとも……」という気持ちが伝わる表現。どうしても相手に動いてもらいたいときは、覚悟を決めて伝えましょう。

■ 強くお願いしたいとき②

○ 何卒よろしくお願いいたします。

✕ どうかお願いします。

POINT 「何卒」と言うことでへりくだっている気持ちが伝わります。ビジネス上のかしこまった場面で使うとよいでしょう。

≫【切】とは…心をこめてするさま。／身にしみて強く感じるさま。／さしせまった事情にあるさま。非常に厳しいさま。

難しいことをお願いするとき

お願いするのは
忍びないのですが……

誠に厚かましい
お願いですが……

難しいと思うのですが……
○○してもらうことは厳しいですか？

POINT 「無理を承知で……」という気持ちが伝わる表現です。態度や語調などにも気を配って、気持ちを伝えましょう。

「厚かましいことは、十分認識しております」というメッセージを伝えることで、「あなたのお気持ちはわかっています」と相手への理解を示せます。

上手に伝えるためのヒント

「話す」と「書く」の使い分け①

「話す」ほうがよいとき

・すぐに答えてもらえそうな質問　・謝罪やお礼
・初めての仕事の依頼　・複雑で説明が必要な相談事

謝罪やお礼など、相手に自分の気持ちを伝えたいときは「話す」ほうが断然よいでしょう。とくに謝罪の場合、メールだと相手を怒らせてしまうリスクもあるので、直接出向いて気持ちを伝えましょう。>>>【p.093へ】

■ 何度もお願いするとき

○ たびたび申し訳ありません。

✕ 何度もすみません。

POINT 「お忙しい中、お時間を取らせてすみません！」ということを短い言葉で伝えることができる表現です。

■ 期限を延ばしてもらうとき

○ ご猶予をいただけると、
ありがたいのですが……

✕ 締切を延ばしてもらえませんか？

POINT 依頼の中でも「打診」する表現です。相手にお願いすることなので、丁寧に気配りをして伝えましょう。

許してもらいたいとき

ご容赦ください。

ご寛恕（かんじょ）くださいますようお願い申し上げます。

お許しください。

POINT 「何卒～」とつけることでより丁寧さが伝わります。普段から丁寧さを意識しておくとよいでしょう。

自分のミスについて、許しを乞うときに使う表現。主に文章表現で使うので、口語で使うときは改まった場で使用するとよいでしょう。

上手に伝えるためのヒント

「話す」と「書く」の使い分け②

「書く」ほうがよいとき

・そこまで重要ではないお知らせ
・大勢に送る会合やパーティーのお知らせ

仕事面においてそんなに大事でない用件は、わざわざ電話をかけてまで連絡する必要はありません。また数十人、数百人に同時に伝えたいときは、断然メールのほうが便利です。>>>【p.095へ】

>>【寛恕】とは…心が広くて思いやりのあること。また、そのさま。／過ちなどをとがめだてしないで許すこと。

■ つき合いの長い相手にお願いするとき

○ ○○さんは、
この分野がお得意ですよね。

✕ ○○さん、お願いできますか？

POINT 「得意分野なので、断る理由はないはずですよね！」という依頼の意図や理由が明確に伝えられます。

■ 相手を信用してお願いするとき

○ 折り入って
ご相談がありまして……

✕ ○○さんだから言いますけど……

POINT 「折り入って……」ということで、「重要性」「深刻度合い」が伝わり、相手の心に響きやすくなります。深く心を込めて「他でもない○○さんだからこそ！」と、相手の価値を認めた表現を使うことで、相手をその気にさせ自発意思を喚起できます。

■ 苦しい状況を理解してもらいたいとき

勝手を申し上げますが、
ご理解いただけると幸いです。

お汲(く)み取りください。

わかってもらえませんか？

POINT 「大変苦しい状況にありまして、勝手を申し上げますが、ご理解いただけると幸いです」と、現状を先に説明することで、どうにか理解してもらいたいと働きかける話し方です。

「苦しい気持ちをわかってほしい」といったニュアンスを、表情や態度、語調にも込めるようにしましょう。

上手に伝えるためのヒント

「話す」と「書く」の使い分け③

「話す」＋「書く」を組み合わせたほうがよいとき
・伝える用件が長くて細かいとき
・用件を正確に伝え、記録に残したいとき
用件が長いのに、それを口頭だけで相手に説明するのは逆に不親切です。まずはメールで要点を箇条書きするなどして簡潔に伝え、そのあとに電話でフォローしましょう。

■ ある人との間に入ってほしいとき

○ よろしくお取りなしのほど
お願いいたします。

× 仲を取りもってもらえますか？

POINT 相手にとっては他者とのことなので、より丁寧に表現することで、相手との関係性を「大切に考えている」という気持ちを伝えましょう。

■ 一緒に参加して（行って）もらいたいとき

○ ご同席（ご同行）を
お願いできますでしょうか？

× 一緒に参加して（行って）もらえますか？

POINT 「一緒にお願いします」と言うより、相手を尊重しているというニュアンスが伝わる表現です。「～のため」と依頼した理由を簡単に添えて、日時や場所の連絡も忘れずに。

>> 【取りなし】とは…対立する二者の間に入って、うまく折り合いをつけること。仲裁。また、仲介。

■ 教えてもらいたいとき

ご教示ください。

ご指導のほどお願いいたします。

教えてください。

POINT ビジネスで質問をするときによく使うフレーズ。勉強不足な自分に教えてほしいという姿勢を示し、へりくだって表現しています。

キャリアが短い間によく使う表現で、しっかりと教え導いてほしいときの言い回しです。「単なる甘え上手」ではなく、「わきまえている」ということをアピールできます。

誘う

誰かを誘うときには、相手の都合や状況に気を配った表現にしましょう。行き先の魅力を伝える、相手に選ばせる、ストレートに気持ちを伝えるなど、誘い方にバリエーションを。

■（パーティーなどに）必ず参加してほしいとき

○ 万障（ばんしょう）お繰り合わせのうえ、ご出席ください。

× 必ず参加してください。

POINT 「さまざまな不都合な事情を調整して出席してほしい」という意味合いです。親しい仲でも、仕事や公式の場、改まった場に誘うときに使う言い回しです。

■ ミーティングに誘うとき

〇 〇〇さんには
来ていただきたいんです。

✕ ぜひ来てください。

POINT 「他の人は来なくても」というフレーズが入ることで、「あなただけにはいてほしい！」という気持ちが強調される伝え方です。

■ 気軽な会に誘うとき

〇 どうぞお気軽にご参加ください。

✕ よかったら参加してよ！

POINT 「お気軽に……」と伝えるときには、「言葉」だけではなく、「語調」や「態度・表情」も意識して伝えるとより効果的です。

■ 取引先の人を食事に誘うとき

〇 お食事でもいかがですか?

✕ 食事に行きませんか?

POINT 話が行き詰まったときなど、気分を変える、空気を変える効果がある表現。気分を変えれば新たな発想が生まれることも。

■ 取引先の異性を食事に誘うとき

〇 食事でもしながら……

✕ ご飯行きませんか?

POINT 相手が異性の場合、あくまでも仕事上のつき合いとして、「お互いにリラックスして、話し合いましょう」というニュアンスを伝えましょう。

食事に誘うとき

○ 雑誌で紹介された
○○行ったことある？

○○と△△、どっちがいい？

× ご飯でもどうですか？

POINT 「この前」で「最新情報」、「雑誌に載っていた」で「信頼できる、はずれがない、おいしい」という意味を伝えることができます。

「場所や店名」を具体的に出して、しかも比較することで、「選択肢」を設け、相手に選びやすくして、行動しやすくする伝え方です。

上手に伝えるためのヒント

常日頃から自分の表情を意識する

著書『人を動かす』で有名なデール・カーネギーは、「笑顔がもたらす効用」について次のように述べています。「（笑顔は）元手がいらない。しかも利益は莫大。与えても減らず、与えられたものは豊かになれる。どんな金持ちでもこれ無しでは暮らせない。どんなに貧乏でもこれによって豊かになれる」

■ 上司を食事に誘うとき

○ ここのところ、ゆっくりと
お話しできていませんので……

× お昼、ご一緒できますか？

POINT 「ゆっくり話したい」という気持ちが伝わり、また、部下からランチに誘うことで上司への信頼感も伝えられます。

■ 上司を飲み会に誘うとき

○ 部長のあの話、後輩にも
聞かせてやってください。

× 今日の飲み会、
よかったら来てもらえませんか？

POINT 「ぜひもっと多くの人に聞かせたい！」と話の内容をほめながら、相手の話を促す配慮を見せられる大人の伝え方です。年配者や部長クラスの人ともなれば「ここのところ飲みに行っていないですね……」とほのめかせば、大人として部下の言いたいことも察してくれるはずです。

■ デートに誘うとき①

○

おいしい熟成肉の
お店を知っているので……

1日限定5食のスイーツ、
ごちそうするよ。

✕ 一度、ご飯に行きませんか？

POINT 「熟成肉」ということで「一風変わった、最近注目の、流行っている」という興味を抱かせ、その気にさせやすくなります。

店名や場所を伝えることで「なぜそこなのか？」という理由に焦点を合わせ、さらに「1 日限定 5 食」という特別感を演出しています。

上手に伝えるためのヒント

表情を豊かにするトレーニング

①割りばしを1分間口にくわえる
割りばしをかんだときの口の形は、笑顔のときの口の形に。
②手で顔をマッサージする
マッサージすることで顔の緊張を和らげ、表情を豊かにすることができる。

■ デートに誘うとき②

○ ひとりだと寂しいから
一緒に行かない？

× 映画を見に行きませんか？

POINT 「ひとりで行くと寂しいから」と間接的に誘って、相手の口から「YES」と言わせる伝え方です。

■ 相手の予定を気遣って誘うとき

○ ご予定も
おありかと思いますが……

× 来週だったら、大丈夫ですか？

POINT 「お忙しいことは十分認識しております！」という気遣いを見せながら、「そこを押して」と強調する伝え方です。

■ 来てほしいとき

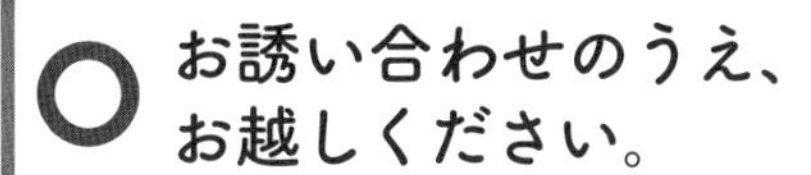

○ お誘い合わせのうえ、
お越しください。

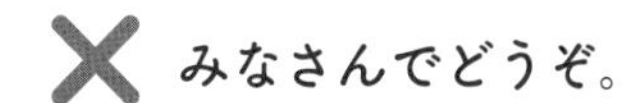

✕ みなさんでどうぞ。

POINT 「どうぞみなさまにお声をかけていただいて、お気軽にご出席ください」の最上級の言い方。文章表現でも使える言い回しです。

■ 都合が合えば来てほしいとき

○ ご都合がよろしければ、
お越しいただけますか？

✕ 大丈夫なら来てください。

POINT 「お忙しいところ恐縮ですが、ぜひともご参加ください」「心よりお待ちしております」と伝えられる表現です。

■ また会いたいとき

○ またお目にかかれますことを、楽しみにしております。

また○○の話をしましょう！

× また会いましょう。

POINT 別れ際によく使うフレーズ。言い回しだけでなく、態度や礼節にも気を配ってプラスの印象で終わることがポイント。

「今日はとても楽しかった。また○○の話をしましょう！」と言うことで、また会いたいというメッセージを伝えられます。共通の話題について「話せて楽しかった！」というプラスの印象を与えることができて、「詳しい人」で「特別」という意味合いになります。

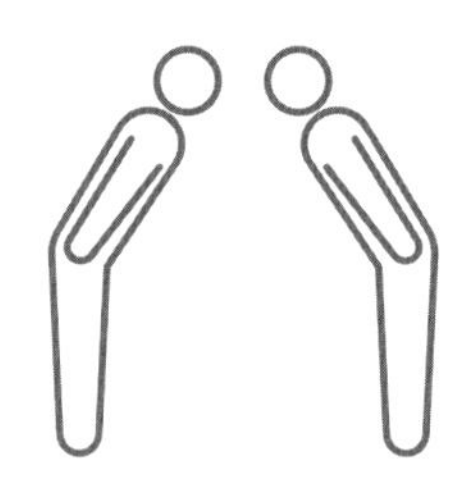

■ 待ち望んでいることを伝えたいとき

心よりお待ちしております。

どうぞいらしてください。

POINT 「お待ちしている」のほうがより積極的な姿勢を見せることができ、来るほうも負担が少なくなるので参加しやすくなります。

上手に伝えるためのヒント

簡単トレーニングで腹式呼吸をマスター

①しっかりと立つ：背筋を伸ばして肩の力を抜き、安定した姿勢で立つ。

②急がずゆっくりと息を吐く：体内にある二酸化炭素（息）を吐き出す。

③ゆっくりと息を吸う:肺の中の空気を全部出し切ったら口を閉じ、鼻から息を吸う（お腹が膨らんでいればOK）。

④ゆっくりと息を吐く：5秒ぐらいで息を吸い、約2秒息を止め、6秒ぐらいでゆっくりと息を吐く（お腹がへこんでいればOK）。

主張する意思を伝える

「YES」であっても「NO」であっても、自分の意見をしっかりと伝えられるようにしましょう。何かを主張するときは自己満足ではなく、相手のことを考えることが大切です。

■ 精一杯がんばると伝えるとき

○ 全力を傾注(けいちゅう)いたします。

× がんばります!

POINT 「全力を注ぎ、傾ける」といった意味合いで使います。会話の中で「傾注」と使うと相手を戸惑わせてしまう場合もあるので、相手や場面を選びましょう。

>> 【傾注】とは…精神や力をひとつの事に集中すること。

■ 今後の成長を約束するとき

精進いたします。

もっとがんばります。

POINT 「がんばります」よりも落ち着いた印象を与えられ、これからの自分の姿勢をきちんと伝える表現です。例：「これからも今まで以上に精進いたします」

■ 今後も勉強していく姿勢を示すとき

研鑽（けんさん）に励む所存です。

今後の成長に期待してください。

POINT 「勝って兜の緒を締めよ」のように「今後も気を引き締めて努力に励む」という気持ちを伝えられる大人の言い方です。例：「今回の結果に甘んじることなく、今後も研鑽に励む所存です」

>> 【所存】とは…心に思うところ。考え。

■ 失敗に負けない姿勢を示すとき

○ 今回の失敗を糧(かて)に……

× 次は大丈夫です。

POINT 「失敗を肥やしに……」や「バネに……」と言うよりも「糧（＝精神・生活の活力の源泉）」の方が使用頻度が高く、スマートになります。例：「今回の失敗を糧に、がんばります」

■ 励ましてもらいたいとき

○ ご鞭撻(べんたつ)のほど……

× がんばりますので……

POINT 「謙遜」と同時に「依頼」の意味合いも含んだ便利な言葉です。当たり障りのない表現なので、多用してもよいでしょう。

>> 【鞭撻】とは…努力するように励ますこと。／むちで打ってこらしめること。

■ 注文してもらいたいとき

○ ご用命ください。

× 注文待ってます。

POINT 「必要なときには、お声をかけてください」をより一層丁寧に伝える言い方。取引先に対して使うとよいでしょう。

■ 察してもらいたいとき

○ ご賢察（けんさつ）ください。

× わかってください。

POINT 「察してほしい」ということを相手を尊重しながら伝える言い方。こちらの事情を理解してもらうための理由は、しっかりと説明しましょう。

>>【賢察】とは…相手を敬って、その人が推察することをいう語。お察し。

■ やむを得ずお願いをするとき

〇 こちらの立場をご理解ください。

✕ 何とかお願いしますよ。

POINT 今まで自分たちがかなり譲歩していたような場合に使うと、かなり効果的に伝わる表現になります。

■ 言い訳をしたいとき

〇 大変申し上げにくいのですが……

✕ 言い訳なのですが……

POINT 「大変申し上げにくい」というフレーズによって、「十分認識していますが……」「あってはいけないことですが……」と恐縮した姿が伝わります。

相手に協力を申し出るとき

微力ながら……

及ばずながら……

手伝わせてください。

POINT 謙遜した表現。「微力では困る！」という考えの人もいるので、相手と状況をよく考えてから使いましょう。

「自分の力では十分にはいかないと思いますが……」と謙遜して伝える言い方です。例：「及ばずながら（微力ながら）、お手伝いさせていただきます」

上手に伝えるためのヒント

早口になってしまう原因①

「緊張する」ため

緊張すると「早く話を終わらせたい」「恥ずかしい」という気持ちが先行しすぎて、早口になってしまいがちに。>>>【p.115へ】

■ 怒っていることを伝えたいとき

○ 困惑しております。

✕ 困ったなぁ……

POINT あってはならないことなので内心、腹立たしく思っているところを、「困惑している」と表現して、怒りの感情を直接相手にぶつけないようにしましょう。

■ 承諾の意思を伝えるとき

○ 異存ありません。

✕ 大丈夫だと思います。

POINT まったく問題がないときに使う言い回し。「ご異存ありませんか？」と変化させれば、相手の意見を引き出すこともできます。

≫【異存】とは…他と異なった考え。／反対の意見や、不服な気持ち。異議。

身分や立場を越えて意見するとき

僭越（せんえつ）ながら……

直言（ちょくげん）させていただきます。

ちょっといいですか？

POINT 立場を超えて意見するときに使う言い回し。印象に残りづらい言葉ではありますが、改まった感じが伝わります。「僭越」＝「自分の立場や地位を超えて出すぎたことをしているのは承知しております」と入れることで、強調や重要度を伝えることができます。

「仕事のおつき合いもこれから続きますので……」という前提を入れると直言がやわらかく伝わり、相手を聞く姿勢にすることができます。例：「今後のために、失礼ながら直言させていただきます」

上手に伝えるためのヒント

早口になってしまう原因②

「頭の回転のほうが速い」ため

話すスピードよりも思考スピードのほうが速いので、そのまま話すと聞き手にスムーズに伝わらなくなってしまいます。>>>【p.117へ】

>>【直言】とは…思っていることをありのままに言うこと。また、面と向かって直接に言うこと。

■ 相手に不都合な意見を通したいとき

〇 勝手ばかりで
申し訳ありませんが……

✕ これもお願いしますよ。

POINT あくまでもこちらの都合であることは認めつつ、それでも相手に動いてもらいたいときに有効なフレーズです。

■ 自分の意見を通したいとき

〇 基本的にはいいと思いますが、
ここだけ……

✕ いや、それは無理だと思いますよ。

POINT 「基本的にはOK！」と相手を認めたうえで、「ここだけ」と「部分的な変更」を伝えて相手の負担感を減らすことで、やる気にさせることができます。

いったん相手を受け入れてから主張するとき

〇

大筋では
そうかもしれませんが……

おっしゃることはわかります。
ただ……

いや、そうかもしれませんが……

POINT 「似て非なるもの」「総論賛成、各論反対」というニュアンスをスムーズに受け取ってもらえる伝え方です。例：「大筋ではそうかもしれませんが、別の人の立場も考えてください」

「おっしゃることはわかります！」＝「そのことは既に承知しております！」ということを伝えたうえで、本論の重要性の理解を促す伝え方です。例：「おっしゃることはわかります。ただ、実際問題として集客力という課題が上がっているんです」

上手に伝えるためのヒント

早口になってしまう原因③

「勤務姿勢が怠惰」なため

「仕事を早く終わらせたい」という緩慢な姿勢が、早口を招くことも。勤務中は気を抜かず、丁寧な仕事を心がけるべし。>>>【p.119へ】

■ 反対意見を述べるとき

〇 お言葉を返すようですが……

✕ 違うんじゃないですか？

POINT 相手の意見に反論するときに有効な言い回し。ただし、相手の間違いを指摘するときは、相手の立場や自尊心に配慮する言い方が不可欠です。

■ 遠回しに反対意見を述べるとき

〇 見解が割れますね。

✕ ちょっと違うかもしれませんね。

POINT 正面から「間違っている」と伝えるのではなく、「自分とは見方や考え方が違う」といった表現にすることで、角を立てずに意見することができます。

■ 反対の意見を通したいとき

○○には賛成ですが……

その言い分は
ごもっともですが……

それには反対です。

POINT　まずは賛成できるところを先に伝え、「すべて反対というわけではないので……」とワンクッション置く必要があります。例：「旗艦店をつくることには賛成ですが、ラインナップに大きな差をつけることには反対です」

「言いたいことはわかります」と賛成しつつ、「全部ではなくて……」と段階的に反論を伝えていくのがポイントです。例：「その言い分はごもっともですが、在庫管理の点で問題があるかと思います」

上手に伝えるためのヒント

早口にならないようにするには①

話したいことを明確にする

話す内容を箇条書きにするなどして事前にまとめておき、それを見て確認し、心を落ち着かせましょう。>>>【p.121へ】

■ 約束を守る意思を伝えるとき

○ 遵守(じゅんしゅ)いたします。

× 守りますよ。

POINT 現在では「コンプライアンス＝法令遵守」という言葉が広く浸透しているので、ビジネスシーンでは効果的に伝わります。例：「ご指示いただいた点、遵守いたします」

■ 進行中であることを伝えるとき

○ 鋭意(えいい)執り行っています。

× やってる途中です。

POINT 進行中の案件に対して、懸命に取り組んでいる姿勢を示す言い回し。「今○○している段階です」など、具体的な状況を伝えるのもよいでしょう。

》【鋭意】とは…気持ちを集中して励むこと。専心。

■ 上司に反論したいとき

**いくつか質問をしても
よろしいでしょうか？**

**このようなやり方では
いかがでしょうか？**

全然、自分の考えと違いますね。

POINT 指示されるにあたって、さまざまな前提条件や重点項目などについては、十分承知していることを伝え、「そのうえで」と核心部分を確認するときの伝え方です。例：「ご指示の内容はわかりました。それを踏まえまして、いくつか質問をしてもよろしいでしょうか？」

自分の意見を通したいときに、「いかがでしょうか？」という「依頼形」にすることで、上司の立場に配慮した姿勢を示せます。例：「お考えはわかりました。それではこのようなやり方ではいかがでしょうか？」

上手に伝えるためのヒント

早口にならないようにするには②

話の最中に間を取る

会話の最中に間を取れば、相手も聞き取りやすくなります。ゆっくり明瞭に、語尾まできちんと発音するようにしましょう。>>>【p.123へ】

■ 時間がないということを伝えるとき

〇 手短にお願いできますか？

✕ 時間ないので……

POINT 相手の感情に配慮しながら「時間がないから対応できません」とせずに、「時間はないけど話は聞いてみます」ということを伝えるフレーズです。例：「打ち合わせの時間が迫っておりますので、手短にお願いできますか？」

■ 地位の上下を取り払うとき

〇 無礼講で……

✕ 何でも言っていいですよ。

POINT 「今日は無礼講にして、親睦を深めましょう」といっても、職場の人間関係を崩さないようにするのは社会人の基本です。相手への配慮を欠かさないように注意しましょう。

≫【無礼講】とは…身分・地位の差や、礼儀作法を無視して行う宴会。

先に席を外すとき

おいとまいたします。

お先に失礼いたします。

先に帰ります。

POINT 会社を訪問したときに使うと場にそぐわないこともあるので、ときと場合を選びましょう。

いきなり「お先に失礼いたします」だけを伝えると、唐突な印象を与えてしまう場合があります。そんなときには「本日はありがとうございました」と感謝の言葉を先につけ加えるとよいでしょう。

上手に伝えるためのヒント

早口にならないようにするには③

深呼吸してリラックスする

呼吸が浅いと、それが早口へとつながってしまいます。腹式呼吸をするなどして、しっかりと声を出すことを心がけましょう。

■ 仕事を進める前に報告するとき

○ ○○の件、本日から進めてもよろしいでしょうか？

× あれ、進めても大丈夫ですよね。

POINT 「区切り」や「重要ポイント」などに入る前に、一旦立ち止まって、上司に確認するとメリハリができて、よいスタートができる伝え方になります。例：「昨日もご報告させていただきましたが、シンポジウムの件、本日から進めてもよろしいでしょうか？」

■ 指示を再確認するとき

○ 私なりの言い方をすると……

× 大体わかっています。

POINT 日本語の組み合わせは、非常に複雑で、意味も多岐にわたるので、「自分の言葉で確認する」ことがとても重要になってきます。例：「私なりの言い方をすると、こういうことでよろしいでしょうか？」

～嫌われない返事・好かれる応対の仕方がわかる～

相手の言動や気持ちに〈うまく応じる〉言いかえ

SCENE1　引き受ける／断る

SCENE2　共感する／ねぎらう

SCENE3　配慮する

SCENE4　調整する／回避する

引き受ける 断る

引き受けるときは、相手に気持ちよく伝わるように。断るときは、伝え方によっては悪い印象を与えてしまうため、断るときこそ大人の言い方が重要です。やわらかい断り方を心がけ、断る理由をしっかりと伝えましょう。

■ 問い合わせを受けるとき

○ 承りました。

× OKです！

POINT 「承りました」に加えて自分の名前を名乗ることで、「責任もって承りました」という気持ちを伝えることができます。例：「お問い合わせありがとうございます。私、○○が承りました」

■ 言われたことを引き受けるとき

かしこまりました。

了解です！

POINT 「かしこまりました。早速手配させていただきます」と、すぐに手配すると言うことで、確約したことを伝え、相手の気持ちを変えさせない効果もあります。

■ 快く引き受けるとき

O お安い御用です。

楽勝です！

POINT 「お安い御用です」に続けて「今日中に！」という「具体的な納期」を知らせることで相手を安心させる効果もあります。例:「お安い御用です。今日中に手続きをさせていただきます」

■ 喜んで引き受けるとき

○ やぶさかではありません。

× 全然いいですよ。

POINT 「喜んでする。努力を惜しまない」という意味合い。少しもったいをつけたいときにも使えるフレーズです。例：「弊社で取り仕切ることも、やぶさかではありません」

■ どんな頼みでも引き受けるとき

○ 何なりとお申しつけください。

× 何でも言ってください。

POINT ビジネスシーンではよく使うフレーズ。ほかに「お気軽にお声をかけてください」などもよく使うので覚えておきましょう。

■ 提案を受け入れるとき

願ってもない話です。

こんないい話……

POINT よい提案をしてもらったときに使う言葉。「構成に悩んでいたところでしたので、願ってもない話です」などと、「〜していたので」という理由を入れると、その後の言葉に信憑性が出ます。

■ 相手の好意を受けるとき

お言葉に甘えさせていただきます。

いいんですか？

POINT 相手からの誘いを快く受けるという気持ちを伝える言葉で、ビジネス上頻繁に使います。誘いを受けたら感謝の気持ちとともに、スマートに使えるようにしておきましょう。

■ 相手の要求を断るとき

○ いたしかねます。

× できません。

POINT 「○○いたしかねます」は婉曲的な断り方の代表例で、ビジネスシーンでよく使う表現です。「できない」よりも語感がやわらかくなるので、丁重に断りを入れられるよう覚えておきましょう。

■ 相手の意思に従えないとき

○ 承服しかねます。

× 受け入れられません。

POINT 実は不服というニュアンスを伝えながら断る言い方。立場や関係性に注意して使いましょう。例：「そのお申し出には承服しかねます」

>> 【承服】とは…相手の言うことを承知して、それに従うこと。

■ やむを得ず断るとき

不本意ではございますが……

心ならずも……

ちょっと野暮用が……

POINT 「受ける気持ちはあるけれど、残念ながら……」というニュアンスを伝える表現。申し訳ないという気持ちを伝えましょう。例：「不本意ではございますが、お受けできません」

「本心ではないのですが……」とこちらの気持ちも察してほしいことを伝える言い回し。相手の理解を求めましょう。例：「心ならずもお断りせざるを得ない状況です」

コミュニケーションを円滑にするヒント

「あいづち」だけで会話が充実する！

「会話は言葉のキャッチボール」ですが、ボールをうまく返すことができなければ、会話中の「あいづち」や「うなずき」で相手に対して「話を聞いていますよ」というメッセージを送りましょう。あいづちがうまければ、「あの人と話をすると楽しい」という印象を持ってもらえます。

≫【不本意】とは…自分の本当の望みとは違っていること。また、そのさま。

■ 丁重に断るとき

○ 心苦しいのですが……

✕ 今は無理なんですよね。

POINT 「この私自身が一番心苦しいのです」と強調することで、真実味が伝わり、次への期待感も抱かせるような伝え方になります。例：「私としても大変心苦しいのですが、次回チャンスがあればぜひお願いいたします」

■ その仕事はできないと伝えるとき

○ ほかのことでしたら……

✕ そういう仕事はできません。

POINT 「このことでなければ……」と全否定せずに断る大人の言い方です。前向きな印象を与えられます。例：「申し訳ありません。ほかのことでしたら協力させていただきますが……」

■ 実現不可能なことを断るとき

難しいお話ですね。

無理ですね。

POINT 仕事を受けるときは常に「実現可能」が前提になります。したがって「実現不可能」は現実的ではないので、結果として断りを伝えることになります。例：「現実的に考えると、お引き受けするのは難しいお話ですね」

■ やんわりと断るとき

○ よく考えさせて
いただいたのですが……

無理でした。

POINT 「よく考えた結果として」という意味合いが伝わり、「力不足でお役に立てない」ということをやわらかい断りとして伝えることができます。

■ 検討したことを伝えて断るとき

○ 検討に検討を
重ねたのですが……

× いろいろ考えたんですけど……

POINT 「検討に検討を重ねた結果」なので、無下に断ったり、単純に「NO」と言っているのではないということが伝わる表現です。

■ 規則に沿って断るとき

○ 事務的な言い方で
恐縮ですが……

× 規則なんですよ。

POINT 「事務的な言い方で大変恐縮ですが……」と表現することで、その後の断り文句が受け入れられやすくなります。例：「事務的な言い方で大変恐縮ですが、期待には応えられません」

相手の要望に応えられないとき

おあいにくさまです。

ご意向にお応えできず……

何とかしたいんですが……

POINT あいにくに「お」をつけると「残念でした」というニュアンスも伝える可能性もあるので、使いどころに注意しましょう。例:「御社の状況はわかりますが、今回はおあいにくさまです」

「今回はご意向にお応えできず申し訳ありません」と伝えてから、「でもチャンスはいくらでもありますよ」と期待感を抱かせる伝え方です。

コミュニケーションを円滑にするヒント

あいづちの種類とポイント①

同意 「そうですね」「なるほど」「たしかに」「そのとおりですね」

Aさん 「今日は本当に暑いですよね」

Bさん 「そうですね。36℃ですって」

相手の話に同意したことを伝えるあいづちで、会話をさらに盛り上げ、円滑にしていく効果を有しています。>>>【p.137へ】

■ 遠慮して断るとき①

○ 私どもでは力不足です。

× 難しいかもしれません。

POINT 「自分たちでは力及ばず……」とへりくだった言い方をすることで、丁寧に断る姿勢が伝わります。

■ 遠慮して断るとき②

○ 辞退させていただきます。

× 見送らせてください。

POINT 「今回は」と伝えることで、「次回に期待してください」「今度機会があって、条件が合えば……」と次につなげるような断り方になります。

■ 相手の言い分を預かったうえで断るとき

上司とも相談したのですが……

こちらの線も
当たってみたのですが……

どうしても難しいんですよ。

POINT 上司とも相談したことを伝え、「自分一人の考えではありません」という組織としての意向を伝えることができます。

「できるだけのことは努力もしているし、実行もしています！」ということを伝えることで、その後の発言も通りやすくする伝え方です。
例：「こちらの線も当たってみたのですが、難しい状況です」

コミュニケーションを円滑にするヒント

あいづちの種類とポイント②

同意 「大変でしたね」「わかりますよ」「心配ですね」

Aさん 「昨日も課長に1時間説教されたよ」

Bさん 「大変でしたね。課長って、話長いですからね」

「同意」よりもさらに一歩踏み込んだ、相手の気持ちを認めたあいづち。相手と同じ心境に立つことで、仲間意識も芽生えてきます。>>>【p.139へ】

■ 断りの意思をやわらかく伝えるとき

○ 今回は見送らせてください。

× 無理です。

POINT 「今回は……」と言うことで、次回以降の可能性を残しています。今後も関係を継続したい相手に対して有効な表現です。

■ 相手の厚意を辞するとき

○ お気遣いなく。

× 気を遣わないでくださいよ。

POINT 「すぐに帰りますので、どうかお気遣いなく」などと理由を入れることで、相手に「気を遣っていただかずとも大丈夫です」ということをさらっと伝えることができます。

■ 相手の気持ちを汲んで断るとき

**けっこうなお話では
ございますが……**

お役に立てず残念でなりません。

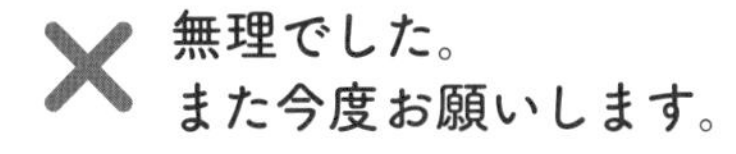

無理でした。
また今度お願いします。

POINT とてもありがたい申し出であることを伝えて、相手に配慮を示すことができる伝え方です。

「あなたのお役に立ちたかったのですが、今回は叶いませんでした」と伝えることで、「次の機会に」という気持ちがより伝わります。例:「お役に立てず残念でなりません。また次の機会にお願いいたします」

コミュニケーションを円滑にするヒント

あいづちの種類とポイント③

促進 「というと？」「それから、どうなりましたか？」「例えば？」

Aさん 「田中さんって、独立してから大きい仕事決めているみたいですよ」

Bさん 「そうなんですね。例えばどんな案件ですか？」

相手との会話が途切れそうなときに有効なフレーズ。「例えば？」などと相手の話を促します。>>>【p.141 へ】

■ 謙遜を示して断るとき①

**〇 人様に
お見せするほどのものでは……**

✕ それほどでもありませんから……

POINT 「人様にお見せするほどのものではございません」などと、謙遜するときややわらかく断るときなどに使う言葉。なお相手が強く求めてきた場合は、譲歩することも大切です。

■ 謙遜を示して断るとき②

〇 若輩者（じゃくはいもの）の私には荷が重いので……

✕ 自分には無理ですよ。

POINT 「自分がかかわることで迷惑をかけてしまう」というニュアンスを伝える表現。「未熟者」と言い換えてもよいでしょう。例：「若輩者の私には荷が重いので、辞退させてください」

>> 【若輩】とは…年が若い者／未熟で経験の浅いこと。また、そのさま。自分を卑下していう表現。※「弱輩」とも／「弱」は「若い」を意味する。

■ どうしようもない事情で断るとき

やむなくお断りさせていただきます。

よんどころない事情があり……

どうしようもないもので……

POINT 本当は断りたくない気持ちがあるということを伝える言い回し。外部的な要因がある場合にも使えます。例：「せっかくですが、今回はやむなくお断りさせていただきます」

「どうしてもはずせない用事を抱えているので……」というニュアンスを伝える言い方。家族の不幸など、やむを得ない理由のときに使いましょう。

コミュニケーションを円滑にするヒント

あいづちの種類とポイント④

整理・要約 **「ということは」「ひと言で言えば」「要するに」**

Aさん 「長々話してきたけど、こういう理由で彼氏と別れたの」

Bさん 「要するに、性格の不一致から別れたってことだよね？」

会話が長くなったり、ゴチャゴチャになったりしたときに、話を要約して内容を整理したいときに使います。>>>【p.143へ】

≫【よんどころない】とは…そうするよりしかたがない。やむをえない。

■ 忙しいことを理由に断るとき

○ 取り込んでいるため……

✕ 忙しいので……

POINT 上手に断りたいとき、手が離せないときなどによく使う便利な言葉。「忙しいので」だと「お互い様だ！」と取られかねないので注意。例：「取り込んでいるため、後ほど改めてご連絡いたします」

■ 繁忙期に仕事を断るとき

○ 時期が時期だけに難しいです。

✕ 忙しいから受けられません。

POINT 「本来なら承諾したいところだけれど……」という気持ちを伝える言い方。「時期さえずれていれば……」と肯定的に表現するのもよいでしょう。

■ スケジュールの都合で断るとき

物理的に難しい状況でして……

あいにくはずせない用がありまして……

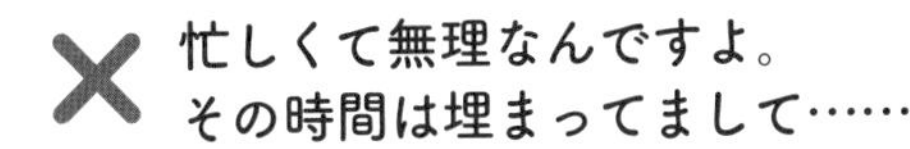

忙しくて無理なんですよ。
その時間は埋まってまして……

POINT 「品物がそろわない」「天候不順で納期が間に合わない」など、「物理的な問題のためどうにもならない」という状況を伝えられます。伝えるときの語調や態度、表情にも気をつけましょう。

「その日では動きが取れない」という状況が伝わる断り方。改めて相手の都合を聞くほか、自分の都合を先に示すのもよいでしょう。立場が上の相手には、自分の都合ではなく会社の事情などに置き換えましょう。

コミュニケーションを円滑にするヒント

あいづちの種類とポイント⑤

転換 **「ところで」「そういえば」「その話で思い出しましたが」**
Aさん 「今月は前月比で2倍の売上を達成しました」
Bさん 「ところで、純利益のほうはどうなっている？」
話の流れや方向を変えたいときに使えるフレーズです。ただし、多用すると相手に不快感を与えてしまうので要注意。

■ つき合いをやめたいとき

**○ 今後のおつき合いは
ご遠慮させていただきます。**

✕ もうお願いしません。

POINT たとえ相手に落ち度があったとしても、ビジネスの場では冷静に伝えることが大切です。ケンカ別れになって、ほかの人への印象を下げないように注意しましょう。例：「今回のようなことが続くのであれば、今後のおつき合いはご遠慮させていただきます」

■ 酒の誘いを断るとき

○ 不調法（ぶちょうほう）なもので……

✕ 飲めないんで……

POINT 自分を低めて、相手にそれ以上勧められないような言い方。「飲めない」と拒絶するのではなく、自分の責任を強調する言い回しです。例：「不調法なもので、おつき合いできず申し訳ありません」

>>【不調法】とは…行き届かず、手際の悪いこと。／酒や芸事のたしなみがないこと。／過失。不始末。粗相。

■ 条件のよい仕事を断るとき

けっこうなお話ですが……

**お受けしたいのは
やまやまですが……**

いい話なんですが……

POINT 「今でなければ……」と時期などが悪かったということを伝える言い方。引き受けたいときは、ネックとなっている条件を変えられないか相談してみるのも手です。例：「けっこうなお話ですが、今は難しいと思います」

「今回は仕事が重なっているのでお断りいたしますが……」「次回を楽しみにしています」と伝えることで、全面否定にならない伝え方になります。

≫【やまやま】とは…実際はできないが、ぜひそうしたいと思うさま。／多く見積もってもその程度であるさま。せいぜい。

共感する ねぎらう

相手の気持ちに共感し、尊重しつつ、自分の意見にも言及していくように意識することが大切です。ねぎらいの表現は、これまでの関係性などを共有できるような言い方がよいでしょう。

■ 相手の喜びに共感を示すとき

○ ご同慶(どうけい)に存じます。

× 私も同じです。

POINT 「同慶」は相手の慶事を自分のこととして一緒に喜ぶ気持ちを表します。文章表現や改まった場所で使うフレーズです。例:「このたびの商談成立の件、ご同慶に存じます」

■ 取引先が仕事の受注を通してくれたとき

お骨折りいただき……

お仕事をいただき……

POINT 相手の努力や配慮に理解を示すことで、相手に対する感謝の気持ちが伝わります。

■ 継続してお願いしたいとき

ご苦労をおかけいたしますが……

またお願いします。

POINT 労いの言葉を添えてお願いするとよいでしょう。ただし、「苦労」という言葉は基本的には目上から目下に使う言葉だということは覚えておきましょう。

»【骨折り】とは…苦労すること。精を出して働くこと。努力。

■ 相手にわざわざ来てもらうとき

○ ご足労おかけいたします。

× わざわざすみません。

POINT 「ご足労」というより丁寧な言い方によって、「申し訳ないですが……」という気持ちが相手に伝わります。

■ 急ぎの仕事を間に合わせてもらったとき

○ 無理を承知で
お願いいたしましたが……

× 何とか間に合いました。

POINT 仕事となれば無理を承知で頼まなければならないことも。「一段落するまで申し訳ないという気持ちを我慢した」という意図を伝えることもできます。

■ 心配していることに配慮するとき①

 心残りでしょうが……

 後のことは大丈夫ですよ。

POINT 途中で席を外すことになってしまったり、職務を離れざるを得なかったりする相手に共感を示すとともに、心配をかけないように「あとは私たちに任せてください」と自信を持って伝えましょう。

■ 心配していることに配慮するとき②

 ご案じ申し上げます。

 心配しています。

POINT 「案じる」とは「心配している」という意味。普段はあまり使いませんが、目上の人に対して、改まった場面で使うと効果的です。

≫【心残り】とは…あとに思いが残ってすっきり思い切れないこと。また、そのさま。未練。

残念な結果に共感を示すとき

○ さぞかし
がっかりなさったかと……

× 残念でしたね。

POINT 「さぞかし」は「さぞ」を強めた表現で、「そのときはきっとこのようなお気持ちだったのでしょうね」と、相手の気持ちを代弁する共感的な伝え方です。

苦労を察するとき

○ ご心痛（しんつう）のほど……

× 大変ですよね……

POINT 「自分も経験したので、お気持ちはよくわかります」という気持ちを込めた表現です。「お気持ちをお察しいたします」というより、いっそう相手の気持ちがわかるということが伝わる表現です。
例：「ご心痛のほどお察しいたします」

相手の苦境に配慮するとき

お気の毒です。

苦衷（くちゅう）をお察しいたします。

つらいでしょうね。

POINT 表情や声のトーンでも共感を示すとともに、上から目線にならないように気をつけましょう。例：「今回のような結果になってしまい、お気の毒です」

相手のつらい心のうちを察して配慮した言い方です。そんな相手の状況もわかったうえで、お願いをするときに使う表現。

コミュニケーションを円滑にするヒント

相手によって話し方を変える

話し相手が寡黙な場合、「はい」「いいえ」のひと言で終わってしまう質問をせずに、「オープン・クエスチョン」でのびのび語ってもらいましょう。相手が優柔不断な場合は、会話がスピーディーに進まなくなることもあるため、質問に選択肢を入れ込んだ「クローズド・クエスチョン」が有効です。相手が回答で悩む時間が減り、会話もサクサクと進んでいくことでしょう。

≫【苦衷】とは…苦しい心のうち。

■ 病み上がりの方をねぎらうとき

〇 くれぐれも
大事になさってください。

✕ ゆっくりしてくださいね。

POINT 「くれぐれも」とつけることで、より注意深くといった意味を込めることができ、相手をとても心配しているということを伝える表現になります。

■ 休養を勧めるとき

〇 ご養生(ようじょう)ください。

✕ 休んでください。

POINT 養生には治療的なニュアンスもあり、若い世代には耳になじみがないこともあるので、主に年配の方に使いましょう。例：「日頃の疲れを癒やして、ご養生ください」

>> 【養生】とは…生活に留意して健康の増進を図ること。摂生。／病気の回復につとめること。保養。

■ 相手の状況をおもんぱかるとき

胸中お察しいたします。

重々お察しいたします。

わかりますよ。

POINT 「胸中＝胸の内、心に思っていること」という意味で「心中」とも同義です。相手の状況に配慮する大人の言い方。

相手の状況に理解を示して、共感を生む表現。相手側の苦しい状況なので、あまり大袈裟に言ってはいけない場合もあります。

配慮する

相手への配慮を示すための基本は、相手を立てること、おもんぱかることです。いかに自分が「相手のことを考えているか」を、さりげない言い回しで表しましょう。

■ 見てもらうとき

○ ご高覧ください。

✕ 見ておいてください。

POINT 相手の「立場」を高める効果がある表現です。「見ておくだけでよい」と相手の負担感を減らす表現でもあります。

■ 忙しい最中の人にお願いするとき

ご多用中とは存じますが……

お忙しいとは思いますが……

POINT 相手の都合や状況を配慮した表現です。月末、年末などの繁忙期に付け加えると相手の印象がよくなります。

■ 相手に何かをお願いするとき

お手数をおかけいたします。

すみませんが、お願いします。

POINT 決まり文句のようによく使う言葉。「お手数をおかけいたします」を最初に入れるのと、入れないのとでは、伝わり方も変わります。

■ できればお願いしたいとき

○ ご面倒でなければ……

× 面倒でしょうが……

POINT 「ご面倒でなければ」というフレーズを使って相手の負担感を軽減する言い方です。例：「ご面倒でなければ、お願いできますでしょうか？」

■ 部下や後輩に配慮するとき

○ かえって気詰まりですから……

× 私は邪魔でしょうから……

POINT 「気詰まり」という言葉は、場合によっては相手に不安な気持ちを抱かせることもあるので使いどころに注意。例：「私がいるとかえって気詰まりでしょうから、お先に失礼いたします」

>>【気詰まり】とは…相手や周囲に気兼ねなどをして、心がのびのびとしないこと。また、そのさま。

■ 悩んでいる相手を気遣うとき

 頭を痛めていらっしゃる……

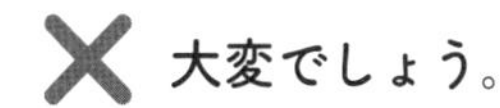 大変でしょう。

POINT 「悩んでいること」「困っていること」という意味合いを広く伝えることができるので、相手の話を引き出しやすくなります。

■ 先んじて何かをするとき

 失礼かとは思いましたが……

 忘れていると思ったので……

POINT 気を利かせて何かをしたときに使う言葉。基本的には喜ばれることが多いと思いますが、相手の事情や立場などを十分考慮しておく必要があります。

■ 同時に大勢に確認するとき

○ お心当たりのある方は……

× 思い当たる人は……

POINT 「昨日、会議室に忘れ物がありました。お心当たりのある方は、ご連絡いただければと思います」などと使います。「思い当たるふしがあれば、遠慮なくお申し出ください」と丁寧に伝えることができます。

■ 留意を促すとき

○ お含みおきください。

× 一応、言っておきますね。

POINT ビジネス上では、常に「万が一」の場合も考えておかなければなりません。相手に迷惑がかからないような配慮を示す言葉として覚えておきましょう。例：「仕入れ先の状況が不安定ですので、その点だけお含みおきください」

>> 【含みおき】とは…事前に物事の事情を理解して納得することを意味する表現。

■ 相手の期待に応えられないとき

悪（あ）しからず……

心苦しく思っております。

できなくてすみません。

POINT　相手の希望や意向に沿えない場合などに用いる言葉。「気を悪くしないで」という意味合いで使います。例：「どうか悪しからずご了承ください」

「今回は期待に応えられないが、今後ともよろしくお願いいたします」という意味合いを伝える大人の言い方です。

コミュニケーションを円滑にするヒント

相手の話がつまらないとつい眠くなってしまう人は……

会話の中で自分との共通点を探し、自分の聞き方を再確認する

頭の回転が速い人にありがちなミスです。誤解を招いて相手との関係が悪化してはどうしようもないので、確認しながら話を進めていきましょう。

■ 質問したいとき

○ 少々お尋ねいたしますが……

✕ ちょっと聞きたいんですけど……

POINT 「少々」と入れることで、相手に「時間はとらせませんよ」と伝えます。相手に抵抗感を与えないように配慮したひと言です。

■ 教えてもらいたいとき

○ お知恵を拝借したく存じます。

✕ 教えてください。

POINT 尊敬している人にこそ教えを乞うもの。「知恵を借りたい」という言い回しで、相手に敬意を表しましょう。

■ 初対面の挨拶をしたいとき

○ まずはご挨拶だけでも
よろしいでしょうか？

× 挨拶させてもらえませんか？

POINT いきなり「商談」というと相手が身構えてしまうため、「挨拶くらいなら……」と思わせて、相手の負担感を軽減する表現。

■ はじめて打ち合わせするとき

○ お目にかかれて、
大変嬉しく存じます。

× はじめまして。

POINT 「お目にかかる」は「会う」の謙譲語です。上の立場の人や尊敬している人と面談する際に使います。

■ 覚えておいてほしいとき

○ お見知りおきください。

✕ 覚えておいてください。

POINT 「見るだけではなく、覚えていただきたい」という気持ちを、「押しつけ調」でなく伝える表現。相手の負担感を減らす表現でもあります。

■ アポイントを取るとき

○ メールと電話、
どちらがよろしいですか？

✕ 連絡しますね。

POINT 相手が答えやすいように、「メールか電話で」などと具体的な連絡手段を提示し、選択肢を設けるようにしましょう。

■ 予定を合わせてもらったとき

○ 恐悦至極（きょうえつしごく）にございます。

ありがたく存じます。

POINT 恐れつつしみながらも喜んでいることを、かしこまって伝える言葉。改まったシーンで相手への敬意を込めて感謝の意を述べるときなどに使います。例：「手前勝手な都合に合わせていただき、恐悦至極にございます」

■ 事情を汲んでもらったとき

ご勘案（かんあん）いただき……

わかっていただいて……

POINT 「あれこれと考えていただき」という気持ちを表す言葉。相手に考える手間を取ってもらったときに感謝の意味を込めて使います。

≫【勘案】とは…あれこれと考え合わせること。勘考（かんこう）。

■ 日程調整をお願いするとき

○ ご対応いただけましたら、
幸甚（こうじん）に存じます。

✕ 融通してもらえたら幸いです。

POINT このうえない幸せ、大変ありがたいという感謝の気持ちを示します。オーバーにならないようにときと場合を選んで使いましょう。

■ 仕事を早く仕上げたとき

○ 気持ちよく取り組めました。

✕ 何とかやっておきました。

POINT 「おかげさまで仕事がスムーズに進み、気持ちよく取り組めました」と、自分の気持ちを短く伝えるとともに、多くは語らず簡潔に、相手を立てることがカギ。

≫【幸甚】とは…このうえもない幸せ。大変ありがたいこと。また、そのさま。主に文章表現で用いる。

仕事をお願いするとき

全部ではなく、一部だけでも
お願いできませんか？

どのくらいだったら、
お願いできますか？

全部お願いできますか？

POINT 相手が負担に思わないよう、例えば「50件ある内、何件かだけでも」などと、「一部だけでも」というニュアンスの表現によって、相手が「NO」と言いにくい状況に持ち込むことがでます。

「どのくらい」は「あなたのご都合のいいように」というニュアンスで、相手の状況に配慮した伝え方です。

コミュニケーションを円滑にするヒント

相手の話を聞こうとしない（遮ってしまう）人は……

「話を遮ったら会話はおしまい」と考える

聞く姿勢をおろそかにせず、相手の話を聞くことを第一に。まずは相手を尊重し、話を聞くことを第一に考え、相手の話を遮断することは避けましょう。

■ 上司にヒントを与えてもらったとき

○ 貴重なご意見、
ありがとうございます。

✕ あ、わかりました。

POINT 気づきを与えてもらったことに感謝しているという気持ちをひと言で表現できるフレーズです。

■ 先輩に仕事を教えてもらったとき

○ 勉強させていただきました。

✕ ありがとうございます。

POINT 「勉強になった」という表現は、自分のためになったという気持ちを伝えるとともに、相手の自尊心に配慮した言い方。敬意を込めて伝えれば、関係性の強化や改善につながります。

■ 仕事を手伝ってもらったとき

 私たちの手に余る内容で……

 手を貸していただいて……

POINT 相手を立てる言い方。「自分たちだけでは到底できなかった」と言うことで、相手の存在意義を強調できます。

■ 自慢の商品を仕入れてもらったとき

 お眼鏡にかない嬉しく存じます。

 毎度ありがとうございます。

POINT 「眼鏡にかなう」は相手を高める表現です。少しオーバーに受けとられることもあるので、嫌味にならないように注意。

■ 上司にほめられたとき

○ ○○部長のご指示が
あったからこそです。

✕ ありがとうございます。

POINT 上司にほめられたときに、「○○部長のご指示があったからです！」とすぐに相手を立てると効果的です。

■ 変えた髪型などをほめられたとき

○ そこまで
気づいてくださったんですか！

✕ そうなんですよ、わかります？

POINT 「そこまで」という言葉で、なかなか気づかないことなのにというニュアンスを表す言い方になります。

■ 話がうまい人をほめるとき

○ 雄弁（ゆうべん）ですね。

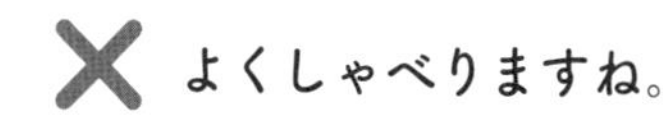

✕ よくしゃべりますね。

POINT 「話し上手ですね！」というのではなく、「雄弁ですね！」と伝えることで、相手の自尊心に配慮することができる伝え方です。

■ 昇格したとき（上司に対して）

○ 本当に深謝（しんしゃ）いたします。

✕ 評価いただきましてありがとうございます。

POINT 「深謝」とは、心から感謝することを意味します。「評価いただいたうえに推していただき、〇〇課長には本当に深謝いたします」などと、推薦してもらったときに使うフレーズです。

≫【雄弁】とは…説得力をもって力強く話すこと。また、そのさま。

■ 多くの人が知っているであろう情報を伝えるとき①

○ ご存じの方も いらっしゃると思いますが……

× 知ってるとは思いますが……

POINT 相手の自尊心に配慮した肯定的な表現と同時に相手の反発も招かないで済む、かしこい言い方です。

■ 多くの人が知っているであろう情報を伝えるとき②

○ お聞き及びのことと思いますが……

× 知らないかもしれませんが……

POINT 「すでにご存じだとは思いますが……」と肯定的に伝えることで、確認・念押しの効果もあるフレーズです。

■ 取引先と長期にわたる仕事を終えたとき

ご愛顧（あいこ）いただき……

お引き立てを賜り……

今までお世話になりました。

POINT 「目をかけて引き立てていただいた」という気持ちを表せます。商品などをいつも利用してもらっている顧客に対しても使えます。

「引き立てる」とは、「贔屓（ひいき）にする」「目をかける」といった意味の表現。よく使われる例としては、「平素は格別のお引き立てを賜り、誠にありがとうございます」といった言い回しで用いられます。

コミュニケーションを円滑にするヒント

腕を組んだり無表情になったりする人は……

相手を不安にさせないように“聞く姿勢”を見せる

話し手は、聞き手の態度が気になってしまうもの。腕組みや無表情は、相手に「自分の話に興味がないのかな」と思わせてしまうので、姿勢を正して聞くようにしましょう。

■ 上司に相談するとき

〇 以前から相談したいと
思っていたのですが……

× ちょっといいですか？

POINT 「あなたを信頼しています！」「あなたを頼っています！」ということを、さりげなく「以前から相談したいと……」という表現で伝えられます。

■ ポイントをふり返るとき

〇 以前にも
お聞きいたしましたが……

× あれって〇〇でしたよね？

POINT 「以前にもお聞きいたしましたが……」というひと言を加えれば、「ちゃんと覚えていますよ！」と相手に伝えることができます。

■ 自分が異動・退職するとき（上司に対して）

ひとかたならぬ
愛情を注いでいただき……

格別のご芳情（ほうじょう）を賜りましたこと、
心より感謝いたします。

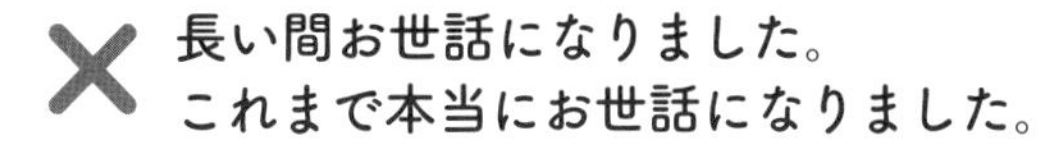

✕ 長い間お世話になりました。
これまで本当にお世話になりました。

POINT 「並でない、身に余る」という気持ちが伝わるフレーズ。改まって話すことで、相手を尊重していることも伝わります。

「格別のご芳情」となると、相手を敬う気持ちが一層伝わります。主に文章を書くときの表現なので、TPOを考えて使いましょう。

コミュニケーションを円滑にするヒント

話の内容に不明点があっても質問や確認をしない人は……

「聞くは一時の恥、聞かぬは一生の恥」

とくにビジネスの場で不明点を放っておくと、誤解を生んでしまいます。自信がなければ相手に随時確認し、正確な情報をつかんでおきましょう。

≫【芳情】とは…他人を敬って、その思いやりの心をいう表現。芳志。芳心。

■ 関係性を示すとき

○ 旧知の仲ですので……

✕ 私と○○さんの仲なので……

POINT 共通の知人や取引先と古くからつき合いがあることを伝えて、安心感を与える言い回しです。電話などでは「窮地」と勘違いされる可能性もあるので文脈に注意。例：「御社の社長とは旧知の仲ですので、今後ともよろしくお願いいたします」

■ 相手の好みを知らずに食べ物を贈るとき

○ お口に合うかわかりませんが……

✕ おいしいので……

POINT 食べ物の場合は好き嫌いがあるので、この言葉を添えておいたほうが間違いはありませんが、できればその方の好きなものを事前に調べておくとよいでしょう。

■ ささやかなものを贈るとき

かたちばかりですが……

心ばかりですが……

こんな物でなんですが……

POINT 気持ちを込めた言葉を添えて伝えると効果的です。例：「かたちばかりですが、お受け取りください」

「自分の精一杯の気持ちです」というニュアンスを伝える言い回し。心を込めて伝えるようにしましょう。例：「心ばかりですが、受け取っていただけますか？」

コミュニケーションを円滑にするヒント

早とちり・早合点をしてしまう人は……

しっかりと確認することが大切

頭の回転が速い人にありがちなミスです。誤解を招いて相手との関係が悪化してはどうしようもないので、確認しながら話を進めていきましょう。

>>【心ばかり】とは…わずかに心の一部を表したものであること。贈り物をするときなどに謙遜していう表現。

調整する 回避する

相手と自分の都合をバランスよく調整すれば、最善の結果が得られ、無用なトラブルを避けることができるでしょう。相手の気持ちに配慮して伝え方に気をつけることで、トラブルや失敗も未然に防止できます。

■ 相手の予定を確認して話を進めるとき

○ お時間よろしいですか？

× あの件ですけど……

POINT 電話のときに、礼儀として、常識として使う言葉であると同時に、相手の都合を確認することで、こちらの話を聞いてもらう状況が作れます。

■ 忙しいので後回しにするとき

〇 後ほどじっくり検討をさせていただきますので……

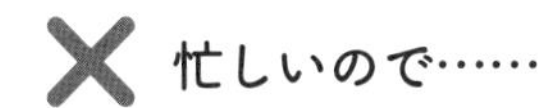

POINT 「後回し」というイメージを与えないような工夫が必要。「じっくりと」という表現で、「大切に考えている」ということを相手に伝えることもできます。例:「今、取り込んでいるため、後ほどじっくり検討をさせていただき、改めてご連絡申し上げます」

■ 後から予定が入ったとき

〇 急な差し支(つか)えがありまして……

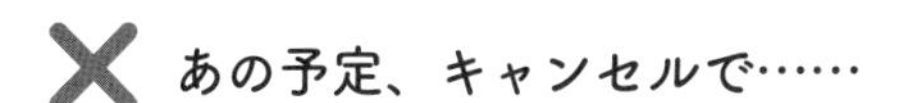

POINT キャンセルの理由を明確にしなくても、欠席をしなければならないほどの予定ということを相手に理解してもらうような言い回しです。例：「急な差し支えがありまして、欠席させていただいてもよろしいですか？」

■ 自分の意図と異なる結果になったとき

○ 本意ではありません。

× そういう意図はなかったんです。

POINT 自分の意図（＝本意）と異なる結果を招いたことを謝罪するときに使う表現。主に外的要因で失敗したときに使います。例:「このような結果を招いたのは本意ではありません」

■ 敬意を表して賛同するとき

○ ごもっともです。

× そうですね。

POINT 「ご指摘はその通りです」と相手の意見を一旦受け入れているので、その後の自分の話につなげやすくなります。例：「○○さんのご指摘、ごもっともです」

■ 相手の意見に賛同するとき

おおせの通りです。

おっしゃる通りです。

その通り！

POINT お客さまに対して使う「言う通り」の最上級の言い方。最初に「ありがとうございます」をつけると、より相手を敬う姿勢が伝わりやすくなります。例：「お問い合わせありがとうございます。おおせの通りです」

「おおせの通り」よりも少しやわらかめの表現。相手の意見をしっかりと受け入れる気持ちを持って伝えましょう。

■ 相手の負担を軽減したいとき①

○ この経験は
次に大いに生かせる……

✕ 今回はちょっと大変かもね。

POINT 一度経験していることなので、初めてのプレッシャーと比べれば負担感や緊張感は次回以降かなり軽減できるということを伝えられます。例：「この経験は次に大いに生かせるから、何とか乗り切りましょう！」

■ 相手の負担を軽減したいとき②

○ 私にもできることがあれば……

✕ 文句ばっかり言っても仕方ないので……

POINT 「私にできることは何でもお手伝いいたします」という心遣いと、サポート態勢があることを伝えて、相手の負担感を軽減する言い方。例：「微力ではございますが、私にもできることがあれば何でもおっしゃってください」

■ 相手を気遣うとき

〇 お気を悪くされましたら……

✕ 迷惑かけて……

POINT 「そんなつもりはないのですが、万が一……」というニュアンスで使います。先手を打って謝っておきたいときに使う表現です。例：「お気を悪くされましたら、申し訳ありません」

■ 話を転換させたいとき

〇 その話と似ているのですが……

✕ 全然、話が変わるんですけど……

POINT 相手の話に乗って、話題を広げたり、内容を掘り下げたり、自分の話を展開していくときに、有効で上手な話し方。例：「その話と似ているのですが、最近〇〇ということがあって……」

■ 再検討してもらいたいとき

○ ちょっと違う角度から見ると……

✕ それはしょうがないですよ。

POINT 物事や人物や現象というものは、「見る人間の見方ひとつ」で決まってしまいますが、逆にいえば、いろいろな見方ができるということです。例：「それをちょっと違う角度から見ると、変わらないかな？」

■ 誤解を回避したいとき①

○ 先ほどの発言は○○という意味で……

✕ 意味はわかりますよね？

POINT 「行き違いがないとは思いますが……」「念のため確認しておきますが……」と、相手の誤解を招かないようにこちらの言い分を通す伝え方です。例：「先ほどの発言は激励の意味ですので、お間違いなく」

■ 誤解を回避したいとき②

〇 もっと正確に言うと……

 間違えてしまいました。

POINT いろいろな解釈の仕方があり、「誤解なさることもあるかもしれないので、重要なので確認いたしますと……」と、正確に伝えようとする姿勢が伝わります。例：「もっと正確に言うと、〇〇という意味になります。日本語って難しいですよね」

■ 誤解を回避したいとき③

 いい意味でお伝えしたので……

 まあ、そういうことなんですよ。

POINT 「どういった意味でお伝えしたか、念のため確認させてもらいますね」と、相手に誤解してほしくないという気持ちが伝わります。例：「いい意味でお伝えしたので、誤解しないでくださいね」

■ 指示を引き出すとき

○ もう少し具体的に……

× もうちょっと詳しく……

POINT 「ビジネスは常に具体的である！」といわれます。ビジネスを円滑に進めるために、相手に具体的な発言を要求する言い方です。例：「申し訳ありませんが、そこのところ、もう少し具体的にお願いいたします」

■ 担当者を変えるとき

○ この案件に最適な者が
見つかりましたので……

× 次回から別の者が担当します。

POINT 担当者を変えると、マイナスに捉えられてしまうこともあるので、「理由」を明確に、段階的に変えるのがコツです。例：「この案件に最適な者が見つかりましたので、次回からミーティングに同席させます」

■ 今後は断りたい仕事を受けるとき

今回限りとさせてください。

次はやりませんからね。

POINT 「仏の顔も三度まで、これ以上は許しませんよ！」と釘を刺す表現。立場を考えて使いましょう。例：「このようなご要望を受けるのは今回限りとさせてください」

■ 難しいニュアンスを残して話を持ち帰るとき

お話は承りました。

難しいと思いますよ。

POINT 「持ち帰って、上司に相談しますが、難しいと思いますよ」というニュアンスを、態度・表情・語調も使って伝えるのがポイントです。例：「見積りの件、お話は承りました。早急に上司と検討のうえ、明日にはお返事申し上げます」

■ 自分一人の判断では答えられないとき

○ 私一人では
わかりかねますので……

✕ 多分、大丈夫だと思いますよ。

POINT 会社対会社なので、勝手な判断で決めることはできません。相手をしっかりと認めているからこそ、組織として対応する姿勢を示しましょう。例:「恐れ入りますが、私一人ではわかりかねますので、上の者に確認させていただきます」

■ 時間的に無理な仕事を回避したいとき

○ 社内でのコンセンサスが
取れそうにありません。

✕ 無理かもしれません。

POINT 「急ぎの案件であれば引き受けるのが難しい」ということを間接的に、また現実問題として厳しいと伝えるときの言い回し。「コンセンサス」は「合意」という意味で、ビジネスシーンにおける頻出用語です。

■ 気乗りしない案件をかわしたいとき

○ 上司を説得する自信がありません。

難しいですね……

POINT　「何度もお声をかけていただいたのはありがたいのですが、どうもその気になれない私の気持ちも察してください！」とやわらかく断る伝え方です。例：「何度もいただいているお話ですが、やはり上司を説得する自信がありません」

■ 強引に決定されることを回避したいとき

考える余地があるので……

それだとちょっと……

POINT　まだ不確定要素が多いような状況なので、「今すぐ決めることは避けたい」「もう少し時間がほしい」という要望が伝わります。例：「予算の点以外でまだ考える余地がありますので、明日、改めてご相談をさせていただいてもよろしいでしょうか？」

■ 不得手なことを回避したいとき

○ 私より適任な方が きっといると思いますよ。

× 私は苦手なので……

POINT 「その仕事は私は適任ではありません。あなたにご迷惑をかけるのも気が引けますし……」と遠慮しながら、仕事を回避できます。例：「予算の管理だったら私より適任な方がきっといると思いますよ。どうも数字が得意ではなくて、すみません」

■ 仕事を押しつけられそうになったとき

○ ○○さんのように できないので……

× あなたの仕事でしょ！

POINT 「押しつけられては、双方ともに迷惑な状況になりかねません！」というニュアンスを伝えて、拒否する姿勢を示せます。例：「○○さんのようにうまくできないので、遠慮させてください」

実現不可能なことを断る方向に持っていくとき

よほどの理由があるのですね？

その条件は無理ですよ。

POINT 「相手のこだわり」が存在する限り、仕事はスムーズには進みません。「なぜこだわっているのか？」の核心部分を掘り下げて聞く伝え方です。例:「そこにこだわっていらっしゃるということは、よほどの理由がおありなのですね？」

譲歩するとき

〇 〇〇さんにはかなわないな。

しょうがないですね。

POINT 「あなたにはかなわない」というひと言で自分を相手より下げて譲歩する姿勢を示し、スムーズに物事を進めましょう。例：「〇〇さんにはかなわないな。今回だけですよ」

■ 意見が衝突しそうになったとき

〇 その視点は斬新ですね！

✕ ここは譲れません！

POINT 「あなたの意見はおかしい！」という批判的な表現はせず、「斬新」と言い換えることで「相手を立てた伝え方」になります。例：「その視点は斬新ですね！　こっちの考え方が一般的かと思っていました」

■ 嫌味や皮肉を言われたとき

〇 そのような見方もあるのですね。

✕ 何ですかその言い方は！

POINT 「そのような見方もできますね！」と余裕を見せる表現です。このひと言で、不要な言い争いをせずに済むでしょう。

■ 身近な人にきついことを言われたとき

○ 自分では気づけない
点でした……

心に留めておきたい……

そっちだって○○じゃないか！

POINT 「自分のことは自分では気づきにくいもの」という人間の本質的な傾向を伝えたうえで、冷静になり謙虚になる大人の伝え方です。例：「自分では気づけない点でしたので、ご指摘に感謝いたします」

「心に留めておく」という表現で、鋭い、インパクトのある指摘をしてくれたことに対する感謝を伝えることができます。例：「そうは思っていなかったのですが、今後のために心に留めておきたいと思います」

■ 愚痴の多い相手をかわすとき

〇 そう言えば、あの件は……

✕ そうなんだ、大変ですね。

POINT 「そのような愚痴を言っていたのでは一向に進みません！」と、相手に釘を刺すことができます。例：「それはサラリーマンの典型ですね。そう言えば、あの件はどうなったんですか？」

………………………………………………

■ 悪口の多い相手をかわすとき①

〇 いない人の悪口はやめましょう。

✕ 確かに、〇〇さんは
そういうところがありますね。

POINT 「陰口やいない人の悪口は聞きたくありません。ましてやお酒を飲んでいるときの愚痴では、お酒もまずくなる！」ということをハッキリと伝えられます。

■ 悪口の多い相手をかわすとき②

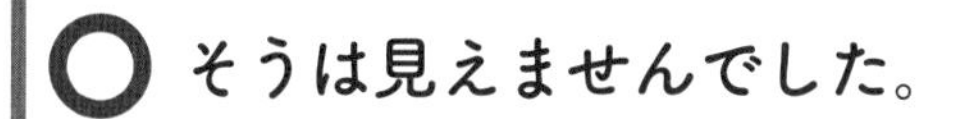

POINT 「あなたの言うことを信じていない訳ではないですけど……」「私にはそうは見えないですが……」と若干戒めるような伝え方です。例：「○○さんは、そういうタイプだったんですね。私にはそうは見えなかったんですけどね」

■ 行列に割り込みをされたとき

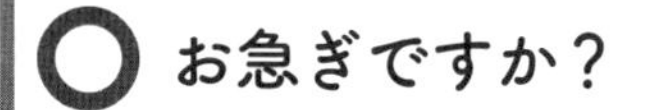

✕ 並んでるんですけど！

POINT 「列が見えないほどお急ぎの御用がおありなのですね！」と相手の状況や気持ちに目を向けた、心の余裕を感じさせる大人の伝え方です。

■ 目的から再度考えるとき

○ でも、今回の目的は……

✕ 確かにそれもいいですね。

POINT 話が脇道にそれてしまうことは、しばしばあること。そんなときは、話し合いの「目的」に立ち戻って軌道修正をしましょう。例：「でも、今回の目的は何でしたっけ？」

■ とりあえず進めたいとき

○ 懸念がないわけではありませんが……

✕ もう進めてしまいませんか？

POINT 「心配する気持ちもわからないではないですが、案ずるより産むが易しということもありますよね？」などと、行動を喚起する伝え方です。例：「懸念がないわけではありませんが、やってみましょう！」

〜言い方ひとつで相手に気持ちよく動いてもらえる〜

ビジネスシーンで役立つ〈人を動かす〉言いかえ

SCENE1　説明する／提案する

SCENE2　要求する／催促する

SCENE3　注意する／指摘する

SCENE4　ほめる

SCENE5　叱る／はげます

説明する 提案する

説明する場合は、相手がきちんと理解できているかを確かめながら進めましょう。提案する場合は、相手の気持ちに寄り添う伝え方をすれば、より魅力的な提案になります。

■ 短く説明するとき

手短に説明いたしますと……

簡単に説明すると……

POINT 説明のあるべき姿は、「シンプル・イズ・ベスト」。ある程度の説明を行った後は、「簡潔に」表現することで、情報共有・理解促進につながります。

■ 最低限のことを説明するとき

○ **用件のみ
お伝えいたしますと……**

POINT 「いろいろとお聞きになりたい点がおありかと存じますが……」と相手の気持ちを汲み取ったうえで、時間や場所の関係などで手短に話したいという状況が伝わります。

■ 確定事項ではないと伝えるとき

○ **お含みおきください。**

× どうなるかわかりませんが……

POINT 万が一、念のためという点を考え、「完璧とは申せませんので、○○という可能性も予めご了承ください」というニュアンスで伝えています。例：「大まかにはこれで問題ないかと思いますが、船便のため納品時期が不確定という点はお含みおきください」

■ 苦境を説明するとき

○ お汲み取りください。

× 事情をわかっていただければ……

POINT 「なかなか公に、言葉に出して言いにくいこともありますので、ご理解ください」という苦しい気持ちの状況や背景を伝えることができます。

■ 苦しい状況をわかってもらいたいとき

○ 事情をお察しいただければ……

× こういう状況ですので……

POINT 「あなたの気持ちもわかりますが……」「こちらの気持ちも察してほしい」という「微妙な立場や思い」というニュアンスを伝えることができます。例：「心苦しく思っておりますが、どうか事情をお察しください」

■ これから説明することを伝えるとき

○

**○○の件で、
3分お時間よろしいでしょうか？**

**今、○分ほど
お時間をいただけますか？**

×

**あの〜、これなんですけど、
すぐ終わりますので……**

POINT 「これから○○の件を説明しますよ！」と「話の予告」をすることで、相手の「聞く態勢」が整うので、こちらの言いたいことがよりよく伝わります。例：「A社プレゼンの件で、3分お時間よろしいでしょうか？　まず先方から返答がありまして……」

「短時間で伝えるために十分準備してある」といったイメージを相手に与えることができます。

ビジネスに役立つヒント

相手との会話を盛り上げるには？

相手とどんな話をすればいいのかは、事前に聞くことを考えておくと、ある程度話を続けることができます。例えば接待や飲み会では、相手が乗ってきやすく、お互いの共通点を見出せる、3つの話題「し・か・け」をテーマに話をするとよいでしょう。>>>【p.201へ】

■ 薄々気づいているであろう状況を伝えるとき

○ お聞き及びのことと思いますが……

× 知っているかもしれませんが……

POINT 例えば、「すでにお聞き及びのことと思いますが、台風の影響で船便の到着が遅れております」などと、悪天候のため納期に間に合いそうにない状況を伝えつつ、「最大限努力いたしましたが」とワンクッション入れて説明するとよいでしょう。

■ 情報を伝えるとき

○ お耳に入れておきたい……

× 耳寄り情報が……

POINT 「お耳に入れる」という表現によって、あらたまった重要な内容であるというニュアンスを伝えられる言い回しです。

■ 相手の意見を覆すとき

再考の余地がありそうですね。

そうとは限らないので……

もう一回考えてもらえませんか？

POINT 現在の方向性をきっぱりと否定するのではなく、「よりよくするためには……」といった意味を含ませる言い方です。

「さまざまな可能性を含んでいる」「早急に結果を求めすぎてもよくない」「思い込みで決めつけると危険だ」などの意味合いを伝えられます。例：「そうとは限らないので、もう少し考えてみませんか？」

ビジネスに役立つヒント

話す内容に困ったら！「し・か・け」の話題①

「し」

ビジネス 仕事

普段の仕事を聞くなど、当たり障りのない感じに。

プライベート 趣味

相手の性格がうかがい知れるし、共通点もみつけやすい。

>>>【p.203へ】

■ 重要な点を強調するとき

○ 重要なところなので、
もう一度言います。

✕ ここが重要です。

POINT 重要な点を強調するための、最もスタンダードな方法が「反復」「くり返し」です。「一度で伝わるハズ」とは考えないこと。

■ 提案のよさを伝えるとき

○ ○○というメリットがあります。

✕ ○○はよいと思うんですが……

POINT 「メリットの強調」は、提案には不可欠です。「他社にない」「オンリーワンの……」などの強調の仕方がベター。例：「今回の提案には、集客力が圧倒的に増えるというメリットがあります」

企画を提案するとき

いつも○○していただけるのでありがたいです。

前回の○○様のお話をヒントに……

今回も聞いてください。

POINT 「いつも」というフレーズは日常のコミュニケーションができていることがベース。提案の強みになります。例：「いつも真剣に聞いていただけるのでとてもありがたいです」

相手の「前回の話」をベースにしていることを伝えます。プレゼンは「提案型説得」なので、相手に受け入れてもらう工夫が不可欠。

ビジネスに役立つヒント

話す内容に困ったら！「し・か・け」の話題②

「か」

ビジネス 課題

ビジネスで課題を持っていない人はいないので、話題にしやすい。

プライベート 家族

デリケートな部分もあるので踏み込みすぎないよう注意。

>>>【p.205へ】

■ できる方法を考えるとき①

〇 ○○と考えたらできますか？

✕ 絶対○○に決まってますよね。

POINT 視点を少し変えることで、相手の負担感を軽減させます。やり方を限定するのではなく、提案することを心がけましょう。例：「全員を相手にするのではなく、一人を相手にすると考えたらできますか？」

■ できる方法を考えるとき②

〇 まだ決まったわけではないので……

✕ ○○は変更できないので……

POINT 「他にも方法はいくらでもあります」というニュアンスが伝わり、相手に安心感を与え、行動を喚起することができます。例：「予算が足りないと決まったわけではありませんので、できる方法を考えていきましょう」

提案のポイントをまとめる

今回の提案のポイントは……

提案のポイントについて、
3つ申し上げます。

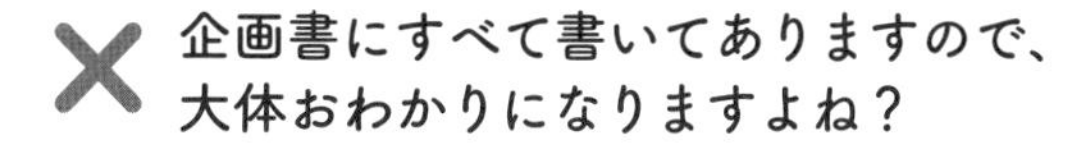

企画書にすべて書いてありますので、
大体おわかりになりますよね？

POINT どこが提案のポイントなのかを確認すると同時に、相手にしっかりと伝わるので一石二鳥です。例：「つまり、今回の提案のポイントは、ホームページとの連動を高めるということになります」

提案が多少複雑な場合は、区切りのよいところでポイントをくり返したり集約したりすると、印象に残りやすくなります。

ビジネスに役立つヒント

話す内容に困ったら！「し・か・け」の話題③

「け」

ビジネス 決意

オンライン飲み会などの決起会で、気持ちをひとつにする際に有効。

プライベート 健康

相手が年配者だと、とくに盛り上がりやすい話題。

■ 特別な提案をするとき

○ ここだけの話ですが……

× ちょっと考えたんですけど……

POINT 「for you」あるいは、「only you」という特別感がポイントです。あなたのためのオリジナルという印象を、さりげなく伝えられます。例：「ここだけの話ですが、特別単価で結構ですので、全店フェアをさせていただけませんか？」

■ 別の方法を提案するとき

○ 別の見方をすると……

× ちょっとやり方を変えたほうがいいですね。

POINT 物事や提案内容等は、見る人の立場や価値観によって、見方が大きく変わる場合があります。現状を否定しないのがコツ。例：「別の見方をすると、レジ前フェアのほうがよさそうですね」

■ 代替案を伝えるとき

最善の方法ではないかもしれませんが……

代わりにちょっと考えてみたんですが……

POINT 「あなたのためにさまざまなケースを見込んで、さまざまな方法を考えています」ということが伝わり、選択の幅の広さも伝えることができます。例：「最善の方法ではないかもしれませんが、いかがですか？」

ビジネスに役立つヒント

話の展開に詰まったときの対処法

話をどう展開していいのか迷ったときの対処を紹介します。

- ■相手の質問と同じ質問を返す
- ■「YES」か「NO」で答えられる質問をする
- ■「5W1H」を意識する
- ■成功談や苦労話を聞き出す
- ■趣味の話を持ち出す

要求する 催促する

要求するシーンでは、自分の意見を伝えつつ相手の感情に配慮した表現が必要です。一見、通りにくい要求も伝え方を工夫すれば、カンタンに通すことができます。催促する場合は、相手が自発的に動きたくなる伝え方をしましょう。

■ 仕事の質をあげてもらいたいとき

○ 期待していますよ。

× もっと張り切ってやってくださいよ。

POINT 「自分を認めてもらう」という人間の基本欲求を満たし、意欲を喚起することで、さらに質のよいものを目指す伝え方です。「期待している」と表現すれば、相手のことを認めていることが前面に出て、相手も奮起してくれます。

■ 再考を要求するとき

○ **もう少しブラッシュアップ
できそうですね。**

最初から考え直してもらえますか？

POINT 「作り直しと言いたいところですが、改善の余地が大いにありますね！」と伝えて、さらによいものを求める伝え方です。「期待していますよ！」と付け加えるとよいでしょう。

■ 対応を求めるとき

**そちらが対応するのが
筋では……**

そっちがやってくださいよ。

POINT 「筋」と伝えれば比較的通りやすくなります。ただ、「筋を通す」のも「意地を通す」に変わると厄介なことになる可能性もあります。例：「そちらで対応していただくのが筋ではありませんか？」

■ 再度の対応を求めるとき

○ あらためてのご対応を……

✕ もう一度お願いします。

POINT 「再度の対応」=「再提出」=「やり直し」という意味をやわらかく伝え、同時に、期限をつけることで、厳しさも伝えられます。
例:「3日後23日着で、あらためてのご対応をお願いいたします」

■ たくさんの人に協力してもらいたいとき

○ みなさんのご協力なくしては
実現できません。

✕ みんなでがんばりましょう!

POINT 「一人でできる範囲は限られている」という周知の事実を元に、「みなさんもご存じの通り」という意味合いを伝えて、協力を要請できます。

■ 参加してもらいたいとき

アイデアがほしいので……

みなさん喜ばれると思いますよ。

ちょっと出てもらえる？

POINT 「あなたのアイデアがほしい！」という表現の仕方によって、結果として「参加する」という行動に駆り立てる効果があります。

「みんながあなたの参加を心待ちにしていますよ！」と言うことで、相手に直接ではなく、周囲に視点を当てたアプローチができます。

ビジネスに役立つヒント

相手に対して「やってはいけない」伝え方①

頭ごなしに否定的な口調で伝える

「伝える」ということには、相手から理解や承諾を引き出す目的があります。ところが、「何度言ってもムダかもしれないけれど……」などと言うと、はじめからその目的を半ば放棄しているように相手に伝わってしまいます。>>>【p.213へ】

■ 知識や教養がある人に意見を求めるとき

〇 見識がおありと……

✕ いろいろ知ってますよね。

POINT 「知識」よりも「見識」のほうが、より深く理解し、本質をつかんでいるというニュアンスを伝えることができます。意見を求めるときに使える言い回しです。例：「〇〇さんは中東情勢に見識がおありとうかがいました」

■ 部下に提案させたいとき

〇 どうしたらいいと思う？

✕ ちょっと考えておいてよ。

POINT 部下に対してアドバイスや意見を求めるようなアプローチは、本人の自発性を高めるのに非常に有効な伝え方です。例：「この件をスムーズに進行するためには、どうしたらいいと思う？」

≫【見識】とは…物事を深く見通し本質を捉える、すぐれた判断力。ある物事に対する確かな考えや意見。識見。

■ 意見を言ってほしいとき

お考えを
お聞かせいただけますか？

ざっくばらんなご意見を……

何か意見はありますか？

POINT 話を聞く姿勢を示すことで相手の存在を肯定し、きちんと認識していることが伝わり、意見を引き出しやすくなります。

オープンで気軽な気持ちを聞きたいということを伝えます。「飾らなくていいんだ」「構えなくていいんだ」ということが伝わって、相手の不安な気持ちを解消することができます。

ビジネスに役立つヒント

相手に対して「やってはいけない」伝え方②

ひとりよがりで一方的に伝える

コミュニケーションは相手があってはじめて成立するもの。強要や押しつけ、命令、脅しなどのニュアンスを含んだ一方的な伝え方はNGです。自分の考えや価値観だけを話し、ひとりよがりな伝え方をすると、相手の理解や承諾が得にくくなります。>>>【p.215へ】

■ 謝罪してもらいたいとき

○ 申し上げるまでもないとは思いますが……

× おわかりだと思いますが……

POINT 「おわかり」と言うより「申し上げるまでもない」という表現によって、「憤慨している」「失礼だ」などの怒りの感情を伝えることができます。例：「〇〇の件は申し上げるまでもないと思いますが、ご留意いただけると助かります」

■ 相手にミスを認めてもらうとき

○ 〇〇さんらしくなく驚いています。

× あなたのせいでこうなったんですよ。

POINT 「ミスを起こしたのは事実」という前提で「〇〇さんらしくなく、驚いている」と言って相手の反省を促す大人の言い方。

誠意を求めるとき

誠意のあるご対応を……

ご配慮を
いただけないでしょうか。

こっちのことも考えてください。

POINT 「我々が納得できる程度の努力と工夫を行ってください」というメッセージを伝え、相手にわかってもらう努力と工夫も重要。

「厳しい状況に追い込まれてしまったことの責任を取ってください！」という本音をストレートにぶつけずに、遠回しに伝えられます。

ビジネスに役立つヒント

相手に対して「やってはいけない」伝え方③

人前で恥をかかせる伝え方をする

部下や相手の身内がいる前で恥をかかせてしまう伝え方は、相手の尊厳を踏みにじる行為にあたります。相手が「まわりに聞かれたくない」と思うようなことを伝えるときは、個別に呼んで話をするなど、相手の立場を考えるようにしましょう。

■ 作業を促すとき①

○ ○○の件、
どれくらい進んでいますか？

× あれ、どうなってますか？

POINT 事前に何度か情報提供をしてからの「働きかけ」が効果的です。相手からすると「聞いていない」「知らない」という弁解ができにくくなります。例：「来週の展示会の準備の件、先日もお聞きしましたが、その後どれくらい進んでいますか？」

■ 作業を促すとき②

○ 具体的な方策を
練っていただきたく……

× ご対応お願いします。

POINT こちらの要求を伝えるときは結論をハッキリと伝えた後に、「いつまでに、何を、どのように」という点も確認できればさらによいでしょう。例：「新しい戦略について具体的な方策を練っていただきたいのですが、次回の打ち合わせまでにお願いできますか？」

相手に配慮しながら催促する①

○ いろいろ事情は
おありかと思いますが……

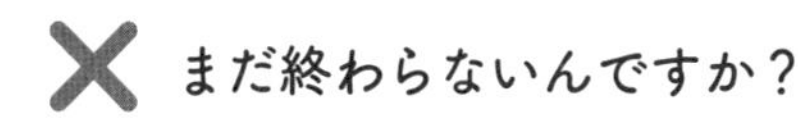

× まだ終わらないんですか？

POINT あなたの事情は、ある程度は察することもできますが、ビジネスの経験上もう限度ですので、本気で取り組んでほしいと伝えられます。例：「いろいろ事情はおありかと思いますが、ご確認いただければ幸いです」

相手に配慮しながら催促する ②

○ 何かの手違いかも
しれませんが……

× 忘れてませんか？

POINT 「よほどのことがあったと拝察いたしますが、そろそろ我慢の限界も近いですよ」という気持ちが伝わります。例：「何かの手違いかもしれませんが、ご対応いただけると助かります」

■ 返事を急がせるとき

○ 期日が迫って
まいりましたもので……

× お返事をいただいてないのですが……

POINT 「お忙しい中、何度も連絡をして、慌ただしくさせてしまいました！」と陳謝しながらも、それだけ急いでいるということを伝えられます。例：「期日が迫ってまいりましたもので、重ねてご連絡をさせていただきました」

■ 本当の納期を知りたいとき

○ 最悪、
いつになりそうでしょうか？

× いつが納期なんですか？

POINT 「最終的な納期がわからないと、こちらも準備ができず、結果的にあなたに迷惑が掛かります」と、「持ちつ持たれつ」というニュアンスを伝えられます。例:「最悪、いつになりそうでしょうか？こちらでも時間を短縮できるように準備をしておきますので」

■ 約束の期日を過ぎたとき

いつくらいにできそうですか？

状況をお知らせいただけると……

納品はまだですか？

POINT 相手の行った行為についての自覚と責任を問い、具体的な期限の回答を要求できます。

期日を過ぎたことを直接的に指摘するのではなく、「状況を知らせてください」とワンクッション置くことで、責める印象を減らします。

注意する 指摘する

言いにくいことも、大人の言い方でスマートに伝えることがポイントです。ときには注意することも必要ですが、相手の気持ちを考えて伝えれば、意図がより伝わりやすくなります。毅然とした態度と言葉で伝えましょう。

■ 気をつけてもらいたいとき

○ ご留意ください。

× 気をつけてください。

POINT ともすると、一方的な注意・勧告となってしまいがちな印象を和らげることができる大人の言い方です。

>>【留意】とは…ある物事に心を留めて、気をつけること。

■ やわらかく注意する

私の勘違いかもしれませんが……

間違えてませんか？

POINT 「私の勘違いかも……」と「自分のせい」にすることで、「あなたを責めているのではないですよ」という気持ちが伝わります。例:「私の勘違いかもしれませんが、注文数と型番はこれで大丈夫ですか？」

■ やめるように注意する

話は変わるけど……

やめたほうがいいんじゃないですか？

POINT 最初に禁止事項を伝え、その後に理由を述べる伝え方もインパクトがあり、効果的です。例：「○○でよろしく。そうそう話は変わるけど、先方の発言中にスマホをいじるのはやめようね。気分を害するお客さまもいるからさ」

■ 取引先にクレームを入れるとき

○ 次回からはこうしていただいたほうがいいですね。

× 今回の○○はダメですよ！

POINT 「○○がよくない」という否定的な表現ではなく、「こうすれば、もっとよくなる」という次回に向けて希望が持てる肯定的な表現のほうが効果的。

■ 苦情を言うとき

○ 今までの実績があったからこそ……

× このクオリティじゃダメですよ。

POINT 「あなたらしくないですね」「信じられないレベル」と、仕事の内容について厳しい評価を伝えられます。

■ 苦境を訴えるとき

支障をきたしております。

たいへん困惑しております。

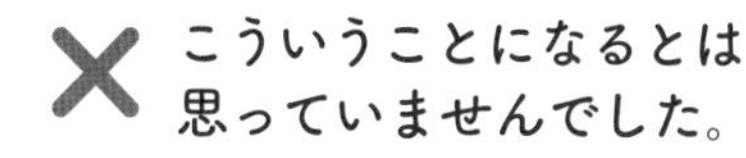

こういうことになるとは
思っていませんでした。

POINT 「もう少しで賠償責任も生じる勢いですよ！」など、ペナルティがあるという意味合いをしっかりと伝えることがポイント。

丁寧に言うことで、相手との距離感を保つと同時に、適度なプレッシャーを与えることができる表現です。例：「日程調整をいたしましたが、間に合わないことにたいへん困惑しております」

ビジネスに役立つヒント

相手から信頼される電話での言い方

電話ではまず相手の都合を確認すること

×「山田ですが、先日送った資料に修正箇所がありまして……」
○「山田ですが、今、お時間よろしいでしょうか？」
いきなり用件を話し始めるのではなく、まずは相手が電話で打ち合わせられる状況かどうかを確認するのが最低限のマナーです。

■ 取引先と解釈の違いがあったとき

○ 内容に齟齬（そご）があるようですが……

× そんなこと言っていません！

POINT 内容の理解にズレがあることを丁寧に伝えられるフレーズ。相談の余地の有無も合わせて聞くと、フレーズがさらに生きてきます。例：「内容に齟齬があるようですが、こちらで決定でしょうか？」

■ 事情がわからないとき

○ 事の次第が
判然といたしませんが……

× 意味がわからないんですけど……

POINT 大人ならば「わからない」といった単純な否定の言葉はできるだけ避けるべき。さらに経緯を聞くことで、理解したいという気持ちを相手に表すことができます。例：「事の次第が判然といたしませんので、経緯をお聞かせいただけますか？」

>> 【齟齬】とは…物事がうまくかみ合わないこと。食い違うこと。行き違い。

話の矛盾を指摘するとき

どうして確認
しなかったのかな？

もう一度条件を整理してみよう。

間違えてるぞ！

POINT 「論理や話の流れの矛盾」を指摘してから「なぜ？」と問いかければ、相手が答えやすくなります。

「複雑なことはシンプルに」「難しいことは易しく」伝えることができれば、仕事の質が上がります。そのためにも条件の整理は重要。

ビジネスに役立つヒント

「アクティブ・リスニング」で正確に聞き取る

「アクティブ・リスニング」（積極的傾聴法）とは、相手の話のキーワードをくり返すことで、正確に確認する聞き方の技術です。電話番号や打ち合わせ日時、発注数など、間違えてはいけない言葉をその場で復唱しミスを防ぎます。

Aさん 「明日の打ち合わせは17時、渋谷でお願いいたします」

Bさん 「17時に渋谷ですね、かしこまりました」

■ 改善されていないとき

○ なお一層の改善を求めます。

× 直ってないじゃないですか！

POINT 「確認した結果、まだ不十分です！」ということを、あまり直接的な表現ではなく婉曲な言い方で伝えています。例：「確認させていただきましたが、なお一層の改善を求めます」

■ 今後の関係を考え直すとき

○ 今後の推移次第で……

× 今後はお願いしないと思います。

POINT 「条件つきですが……」と可能性を残し、双方ともに満足のいく合意形成を求める表現。相手との関係を継続することもできるでしょう。例：「今後の推移次第で、この商品のお取り引きを再検討したいと思っております」

>>【推移】とは…時が経つにつれて状態が変化すること。移り変わっていくこと。／時が経過すること。

■ それとなく指摘するとき

その話で思い出したんだけど……

そういえば、ひとついいかな。

前々から思ってたんだが……

POINT 相手の話に乗って自分の言いたいことをさりげなく伝える言い方です。嫌味にならない程度にさらりと伝えるのがポイント。例：「その話で思い出したんだけど、〇〇の見積書、間違ってたぞ」

「ひとつ」という表現によって相手が聞きやすい状況を作り出します。ひと言伝えたら無駄話をせず、すぐに切り上げましょう。例：「そういえば、ひとついいかな。遅刻には気をつけたほうがいいぞ」

■ 失敗をくり返さないように注意するとき

**○ 十分な注意を
怠らないでくださいね。**

× もう二度とやらないでくださいね。

POINT 失敗は誰にでもあるが、大事なのはその経験を活かして同じ誤ちをくり返さないこと。それを伝えるためには「十分な注意」という表現が効果的です。例：「今回の失敗をふまえて、十分な注意を怠らないでくださいね」

■ 共感を示しながら指摘するとき

○ ◯◯さんだからこそ言うけど……

× あなたの考えはわかるよ……

POINT 「だからこそ」とつけ加えることで、相手への期待感を伝えることができます。使いすぎるとプレッシャーになるため、とくに気になった点があるときだけ使いましょう。例：「◯◯さんだからこそ言うけど、こっちのほうがスピーディーに進められそうだよ」

■ 相手を気遣って注意するとき

言われたくない
かもしれないけど……

私もよくやるからえらそうな
ことは言えないんだけど……

○○は気をつけなさい。

POINT 「こちらも言いたくないが……」というニュアンスも伝わるひと言。例：「あなたは言われたくないかもしれないけど、話すときは相手の目を見るようにすると、言葉が伝わりやすくなるよ」

「私もそうだけど……」と、「あなたと私は同じ立場」であると示すだけで、伝わりやすい状況になります。例：「私もよくやるからえらそうなことは言えないんだけど、連絡モレには気をつけたほうがいいよ」

相手のよいところを上手にほめれば、ビジネスがスムーズに進むだけでなく、豊かな人間関係が築けます。さまざまなバリエーションのほめ言葉をマスターして"ほめ上手"になれば、きっと相手に好かれるでしょう。

■ 予想以上のできだったとき

○ 簡単ではないですよね。

× 驚きました！

POINT 予想以上のできは「口で言うほど簡単ではない」はずです。ほめる側が結果を残している人であれば、そのことを身をもって知っているので、相手もきっと嬉しくなるでしょう。

■ 最大限に相手をほめる

世の中広しといえども……

才色兼備ですね。

POINT 「他にいない」ということを伝えるのは最大限に相手を認めている表現です。今後もつき合いを続けていきたい重要な相手に使いましょう。

■ 功績をたたえるとき

誰でもできるという
内容ではないですからね。

○○さんは我が社のホープです。

POINT 裏を返せば、「数少ない」「限定されたあなた」だからこそできた偉業であるということを伝えられます。

■ 偉業を達成したことがある人を敬うとき

〇 今や伝説ですよね。

✕ いい経験をお持ちですよね。

POINT 偉業を達成したり特異な経験をしたりするなど、普通の人にはできないことに対して「伝説」と表現することで、後々も語り継がれるようなイメージのほめ言葉になります。

■ 無理を押して仕事を完了してもらったとき

〇 ○○さんの底力ですね！

✕ 本当にお疲れさまです。

POINT 「底力」という言葉で、相手の実力の深さを言い表しています。感謝の意を示しつつ、相手を気遣うことができる表現です。

成果を得られたとき

期待以上の成果です。

想像を超える成果です。

すごいですね。

POINT こちらの予測を上回る成果を上げてくれた場合に、相手を敬いながら伝える大人の言い方です。例：「〇〇さんのおかげで、期待以上の成果を得られました。ありがとうございます」

「想像もできなかったくらい、素晴らしい成果が得られました！」「しかもあなたのおかげです！」とあらためて強調する伝え方です。

ビジネスに役立つヒント

メールを送るときは「言葉遣い」に気をつける

アメリカの社会心理学者アルバート・メラビアンによると、話し手の印象を決めるのは、視覚が55%、聴覚が38%、そして、言語からの情報はわずか7%だけとされています。そのため、メールを送る際は会って話す以上に、言葉遣いや確認事項などに気を遣わなければなりません。

■ 仕事をほめるとき

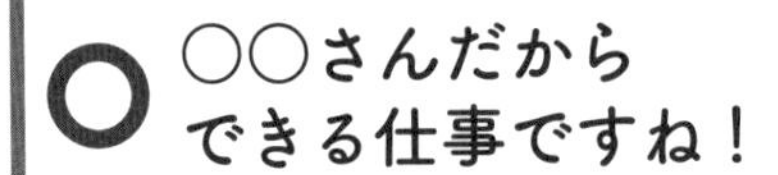
○ ○○さんだから
できる仕事ですね！

✕ ○○さんなら当然ですよね。

POINT 「○○さんだからこそできる仕事」と伝えることで、「他の人ではそう簡単にはできない」「私にはとてもできない」と相手を立てる伝え方です。

■ 仕事の丁寧さをほめるとき

○ ○○さんが作った資料は
読みやすいですね。

✕ ○○さんって仕事が丁寧ですね。

POINT 「仕事が丁寧ですね」だけだと、相手は「どこが？」と疑問に思い、伝わりにくくなります。具体的に表現すればより伝わりやすくなります。

■ 着眼力のすごさをほめるとき

 目のつけどころが違いますね。

 さすがですね。

POINT 「どこに目をつけるか」でその人の知識や経験がわかります。素晴らしい視点で仕事に取り組んでいることを伝えましょう。「そこですか！　さすが！」と持ち上げることで、相手を喜ばせることができます。

■ ちょっとのミスや変更に動じないとき

 対応力や柔軟性がすごいですね。

 動じませんね。

POINT ミスや変更に動じないことを「対応力や柔軟性」という表現に変えて、しかも、羨望の眼差しで、相手を敬いながら、嫌味なく伝えることができます。

■ ほめられた後にほめ返すとき

〇 器が大きい人は……

✕ 〇〇さんこそ、～じゃないですか

POINT 人をほめるのは心の余裕がなければできないこと。相手の器の大きさをほめるだけでなく、その余裕もほめましょう。

■ 趣味の話を聞いたとき

〇 すごく奥が深いですね。

✕ へぇー、すごいですね。

POINT 「奥が深い」は相手をほめるのに便利な言葉です。これを言われて悪い気持ちになる人はあまりいません。「あなたは知っていてすごい！」「その知り方も深い！」ということをへりくだりながら、率直に伝えられる表現です。

■ 趣味の腕前をほめるとき

私なんか足下にも及びません。

玄人顔負けの腕前ですね。

さすがですね。

POINT 「あまりにも力の差がありすぎます」という意味の表現。つまり相手がすごいということを伝えるほめ言葉です。

「玄人顔負けの腕前」すなわち「プロ顔負け」と言うことで、「最高レベルの腕前」と称賛していることを伝えられます。ほめる側も玄人はだしであればなおよいでしょう。

ビジネスに役立つヒント

メールを送るときは「敬語」に気をつける

謙譲語と尊敬語を確認しましょう。
×「拝見していただき、ありがとうございます」
○「ご覧いただき、ありがとうございます」
送信した相手の行為に「拝見」と謙譲語を使うのはNGです。尊敬語の「ご覧いただき」を使いましょう。

■ 相手の能力をほめるとき

○ 卓越した……

× すごい……

POINT 「あなたはとびぬけて素晴らしい」と、相手を立てる言い方。このフレーズを聞いて喜ばない相手はなかなかいないでしょう。例：「卓越した手腕をお持ちですね」

■ 相手の見識をほめるとき

○ お目が高いですね。

× わかってますね。

POINT 相手をほめる場合の代表的な表現。言われるほうとしては悪い気はしませんが、語調によっては「ごますり」のような印象を与えてしまうので注意。例：「さすが○○さん、お目が高いですね」

≫【卓越】とは…群をぬいてすぐれていること。また、そのさま。

深い知識を評するとき

経験の幅と深さが違いますね。

造詣(ぞうけい)が深いですね。

詳しいんですね。

POINT 一朝一夕とはいかない体験の積み重ね、経験値の高さや豊かさを「幅」「深さ」と表現することで、相手の自尊心をくすぐることができます。

大人として覚えておきたい言い回し。その分野について「広く深い知識や理解」や「すぐれた技量」を持っていることに尊敬の意を表します。例:「芸術の分野に造詣が深くていらっしゃるんですね」

ビジネスに役立つヒント

ビジネスメールで気をつけるポイント①

送る相手のことをよく考えて書く

一方的に書きたいことを書かず、相手がこれを読んでどう考えるのかをよく踏まえて文章を書きましょう。>>>【p.241へ】

■ 気が利くなあと感じたとき

○ 普通はそこまで
気が回らないものですよ。

× やさしいですね。

POINT 「普通はそこまで」と言うことで、「あなたの気の回しようは普通じゃない」「普通以上である」と特別視していることを伝えています。「あなたは別格だ」というニュアンスが含まれた表現です。例：「予備のプランも考えていたとは、普通はそこまで気が回らないものですよね」

■ 部下をほめるとき

○ あなたのおかげで……

× よくやった。

POINT 部下をねぎらうときに使えるフレーズ。「あなたのおかげで」と目上の人から目下の人へ言うと、相手に伝わる感謝の気持ちが倍増します。

幸運が続いているとき

普段の行いがよいからですね。

**日頃の行いがいいと、
結果もついてくるんですね。**

持ってますね。

POINT 「こんなにいい天気に恵まれるなんて、普段の行いがよいからですね」などと使います。また、「ローマは一日にしてならず」といった意味合いで、日頃の努力の賜物であるということを表してもいます。

「幸運が続く」ということと「日頃の行いがよい」という「結果」と「原因」とがセットになっていると、より伝わりやすくなります。

ビジネスに役立つヒント

ビジネスメールで気をつけるポイント②

失礼な言葉遣いは控える

文章の書き方によっては受け手の誤解を招いてしまうので、謙虚な姿勢を忘れないようにします。また絵文字はふざけた印象を与えるので、使わないようにしましょう。>>>【p.245へ】

■ 報・連・相がきちんとできているとき（部下に対して）

〇 安心して任せられます。

✕ きっちりしてますね。

POINT 仕事をするうえで「報告・連絡・相談」は欠かせません。「安心して任せられる」という上司からのひと言は、部下にとって何よりのほめ言葉でしょう。

■ 人徳のある人に敬意を表するとき

〇 あやかりたいです。

✕ ああいう人になりたいですね。

POINT 「〇〇さんの人望にあやかりたいです」などと使います。「人望」はその人独特の長所・個性、持ち味を表すので、「人間的にあこがれている」というニュアンスを伝えることができます。

>> 【あやかる】とは…影響を受けて（感化されて）それと同じようになる。よい状態になりたいときに使う表現。

■ その場にいない人をほめるとき

 みんながほめていましたね。

 本当によくできた方です。

POINT 具体的にかかわった人が、客観的な見方でほめていたという表現をすることで、あとで知った本人が最高に喜ぶ大人の言い方です。例：「あの仕事に携わった人みんながほめていましたね！」

■ 雰囲気のよい店を教えてもらったとき

 小粋なお店をご存じなのですね。

 いい店ですね。

POINT 「どことなく粋な店」「洗練されている店」というニュアンスが伝わる表現。自分が勧めた店がほめられれば、相手も喜ぶことでしょう。

■ おいしいと評判のお菓子をもらったとき

○ 舌が肥えていらっしゃいますね。

× おいしそうですね。

POINT 「おいしいお菓子ですね」を「おいしいものをいろいろとご存知ですね！」と言いかえ、相手を持ち上げる表現に。

■ 料理をほめるとき

○ どうしたらこんないい
お味が出せるんですか？

× 本当においしいですね！

POINT 「どうしたら……」と言うことで「本当に素晴らしい味」を別の表現で伝えられます。本気度が伝わるフレーズ。

■ 手の込んだ手料理をふるまってもらったとき

箸をつけるのがもったいないですよ。

料理店も顔負けですね。

すごい豪勢ですね！

POINT 「繊細で、作るのにさぞかし手をかけられて素晴らしいできばえです」というニュアンスをさりげなく伝える表現。

「プロ並みの料理の腕前」とほめるフレーズ。相手の手料理をほめる表現としてよく耳にしますが、どんな言葉でもほめられるのは嬉しいものです。

ビジネスに役立つヒント

ビジネスメールで気をつけるポイント③

長々とした文章にしない

長文は書くのにも時間がかかるし、読む側にも負担を与えてしまいます。なるべく簡潔明快な文章を書くようにしましょう。

叱る はげます

叱るときは一方的にではなく、相手のやる気がなくならないような言い方が重要です。相手を敬いながらよい関係を継続していくために、大人の叱り方・はげまし方を実施しましょう。

■ 部下がミスの直後にすぐに報告に来たとき

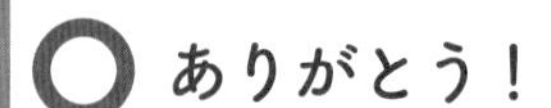

✕ バカやろう！

POINT 「悪い報告ほど早く！」は鉄則だが、自分がミスしたことは報告しにくいもの。部下から報告を受けたら、きちんとほめることが重要です。

■ 判断が遅いとき

 思慮深いのは結構だが……

 優柔不断すぎるのでは？

POINT 仕事の進め方の基本である内容と時間のバランスを考えることの重要性を伝えられます。相手の特性を理解しているからこそできる表現です。例：「思慮深いのは結構だが、時期を見て判断をするようにならないとな」

■ 臆病すぎるとき

 慎重になりすぎているようだね。

× 躊躇（ちゅうちょ）するな！

POINT 必要以上に臆病になっている人に対しておすすめの表現です。相手の気分を害さずに叱ることができます。例：「緊張して慎重になりすぎてるんじゃないか？ もう少し大胆に考えてもいいぞ」

≫【思慮深い】とは…物事を注意深く、十分に考えるさま。

■ 考えなしに行動しているとき

○ 失敗を恐れないのは
いいことだが……

× 無鉄砲すぎるな！

POINT まずは相手の現状を肯定してから正しい方向に導く言い方。例：「失敗を恐れないのはいいことだけど、もう少し計画的に進めないとまずいですね」

■ 急ぎすぎているとき

○ 頭の回転が早いんだね。

× せっかちだな！

POINT 例えば、「頭の回転が早くていいなぁ。あとはいつものように、堅実さを発揮してくださいね」などと、長所を引き合いにして指摘するとよいでしょう。

■ 作業が遅いとき

仕事が丁寧だね。

余裕を持って仕事をしていますね。

要領が悪いな！

POINT 「遅い！」「まだ？」などと急かさないこと。むやみに叱るのではなく、まずは「仕事が丁寧だね」と相手をほめたうえで、「次回はその丁寧さにスピード感をプラスしてみようか」と次のステップに導く言い方がベストです。

頭ごなしに叱るのではなく、まずは相手の状況を肯定的に捉え、アドバイスするような言い方にするのがポイント。例：「余裕を持って仕事を進めるのも大事だけど、もう少しペースを上げていこうか」

■ 細かすぎるとき

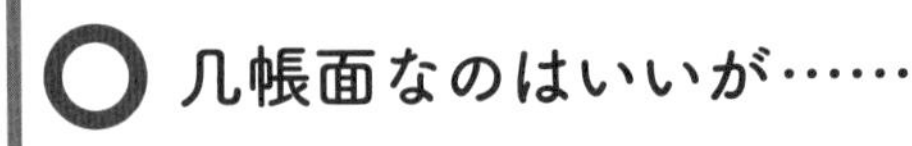

× 細かいことを気にしすぎだ！

POINT 几帳面に物事を見るのはとても重要ですが、全体を見通す力も同じくらい重要です。視野が狭くなってしまっている人への的確な言い回し。例：「几帳面なのはいいが、そろそろ全体を見通す力もつけていきたいところだな」

■ 応用がきかないときに

○ 基本に忠実にやっているんだね。

× 気が利かないな！

POINT さまざまな仕事の進め方のバリエーションを増やす必要性に気づかせる、バランス感覚、両面・多面思考の重要性を伝える言い方です。例：「基本に忠実にやっているのはわかるが、変化に対応するのも大事だぞ」

■ 自信過剰になっているとき

○ 自分の考えに
自信を持っているようだね。

× 独りよがりだな！

POINT いくら自分にとって自信のあることであっても、他の見方も検討しないと客観的なよい意見とはいえないということをほのめかしています。例：「自分の考えに自信を持っているようだが、視点を変えて考えてみないか？」

■ 意見をゴリ押ししてくるときに

○ その意見も捨てがたいが……

× 強引だな！

POINT 「その意見は採用できない、ダメだから！」などと否定されると、相手は反発したくなりますが、よいことだと認めれば、相手も話を聞こうとするでしょう。例：「あなたの意見も捨てがたいが、今回の場合は○○さんの意見を採用するよ」

■ 屁理屈を言うとき

○ 理論的だね。

× 理屈っぽいな！

POINT 否定ではなく肯定する言い回し。「どんなとき、どんな場合に」といったフレーズが入ると、より具体的になるのでなおよいでしょう。例：「理論的に考えるのはいいことだが、あなたの直感力にも期待したいところだ」

■ 説明がわかりづらいとき

○ ちょっと抽象的すぎるね。

× わけがわからん！

POINT 「ちょっと抽象的すぎるので、もう少し具体的に話を聞かせてもらえるかな？」などと、具体的に説明してもらえるように促すとよいでしょう。

■ 足手まといをわびた相手を激励するとき

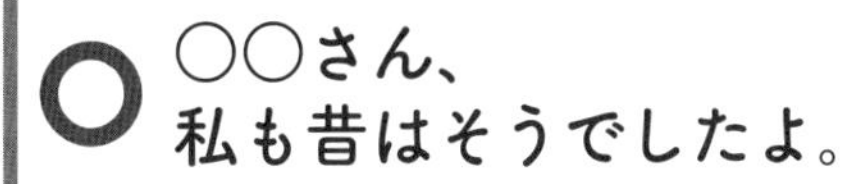

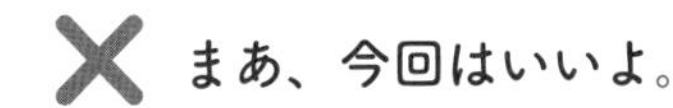

POINT 上の立場の人からの「私も昔はそうだった」と言われると、ほっと安心感が得られ、気持ちをプラスに変えられるような伝え方になります。

■ あきらめそうな相手を叱咤するとき

○ ダメだと決まったわけじゃない。

× あきらめたら終わりだ！

POINT 「最後まであきらめてはいけない」「気持ちをリセットして再スタートしよう！」など、激励の気持ちを伝え、相手に勇気を与えることができます。例：「ダメだと決まったわけじゃない、ここからが勝負だ」

■ 相手が大きなミスをしてしまったとき

〇 失敗は誰にでもあるよ。

✕ やっちゃったものはしょうがない。

POINT 相手の負担感を軽くする言葉。「失敗は誰にでもあるよ。今回は運が悪かったんだよ」などと、本人のせいにしない配慮ができるのも大人の言い方です。

■ 相手の失敗をなぐさめるとき

〇 いい経験をしたね。

✕ もう失敗するなよ。

POINT 相手が失敗して落ち込んでいるようなときに、励ましたうえで、さらにプラスの印象を与える大人の言い方です。例：「いい経験をしたね。この経験を次にいかそう」

■ 相手のミスを未然に防ぎたいとき

一緒に取り組んでいきましょう。

がんばって。

POINT あなたに「一番重要な箇所」を担当してもらっていると相手を尊重し、その重要性に気づかせて、協力を要請する伝え方です。例：「〇〇さんの担当部分はこのプロジェクトの中でも一番重要な箇所ですので、一緒に取り組んでいきましょう」

■ 前向きな仕事ぶりを目にしたとき

こっちまで刺激を受けるね！

前向きでいいですよね。

POINT コミュニケーションは「刺激と反応」です。仕事ぶりを評価して、とくに上の人間から「刺激を受ける」と言われると、誇らしく思い、仕事に対する自信もついてくるもの。

著者

櫻井 弘（さくらい ひろし）

株式会社櫻井弘話し方研究所 代表。東京都港区出身。民間企業をはじめ、人事院、各省庁、日本能率協会等、各種団体でコミュニケーションに関する研修・講演を手がけ、実施先は2,000以上。人間味あふれるわかりやすく楽しい指導に定評があり全国各地で人気を呼んでいる。主な著書に『図解「話す力」が面白いほどつく本』（三笠書房）、『大人なら知っておきたいモノの言い方サクッとノート』（永岡書店）等、累積売上180万部超。

STAFF

構成・編集	コバヤシヒロミ
イラスト	polyca
本文デザイン・DTP	松川直也
校正	くすのき舎

※本書は小社刊『大人なら知っておきたいモノの言い方サクッとノート』（2014年発行）と『相手のイエスを必ず引き出すモノの伝え方サクッとノート』（2015年発行）の一部を加筆し、再編集したものです。

ワンランク上の「言葉の引き出し」

使える！ 言いかえ事典

2021年7月10日　第1刷発行

著者　櫻井弘

発行者　永岡純一
発行所　株式会社永岡書店
〒176-8518　東京都練馬区豊玉上 1-7-14
TEL　03（3992）5155（代表）
03（3992）7191（編集）
印刷　精文堂印刷
製本　コモンズデザイン・ネットワーク

ISBN978-4-522-45402-2　C0136